ALESSANDRO
BARICCO

EMMAUS

Feltrinelli

Prima edizione ne "I Narratori" novembre 2009

Stampa Grafica Sipiel Milano

ISBN 978-88-07-01798-8

A Dario Voltolini
e Davide Longo, didatti.

Prologo

La spider rossa fece un'inversione e accostò davanti al ragazzo. L'uomo alla guida manovrava con molta calma, e sembrava non avere fretta, né pensieri. Portava un berretto elegante, la macchina era scoperta. Si fermò e, con un sorriso ben fatto, disse al ragazzo Hai visto Andre?

Andre era una ragazza.

Il ragazzo capì male, capì che l'uomo voleva sapere se l'aveva vista in generale, nella vita – se aveva visto che meraviglia che era. "Hai *visto* Andre?" Come una cosa tra uomini.

Così il ragazzo rispose Sì.

E dove?, chiese l'uomo.

Dato che l'uomo continuava ad avere una specie di sorriso, il ragazzo continuò a capire le domande in modo sbagliato. Così rispose Dovunque. Poi gli venne in mente di essere più preciso, e aggiunse Da lontano.

L'uomo allora fece sì con la testa, come a dire che era d'accordo, e che aveva capito. Continuava a sorridere. Stai in gamba, disse. E ripartì, ma senza tirare le marce – come se non avesse mai avuto bisogno di tirare le marce, in vita sua.

Quattro traverse più in là, dove un semaforo lampeggiava inutilmente nel sole, la spider rossa fu travolta da un furgoncino impazzito.

Va detto che l'uomo era il padre di Andre.

Il ragazzo ero io.

Era tanti anni fa.

Emmaus

Pari all'amore immenso
Fu immenso il suo patir.

Giovanni Battista Ferrandini,
Il pianto di Maria (c. 1732)

Abbiamo tutti sedici, diciassette anni – ma senza saperlo veramente, è l'unica età che possiamo immaginare: a stento sappiamo il passato. Siamo molto normali, non è previsto un altro piano che essere normali, è un'inclinazione che abbiamo ereditato nel sangue. Per generazioni le nostre famiglie hanno lavorato a limare la vita fino a toglierle ogni evidenza – qualsiasi asperità che potesse segnalarci all'occhio lontano. Col tempo hanno finito per avere una certa competenza nel ramo, maestri di invisibilità: la mano sicura, l'occhio sapiente – artigiani. È un mondo in cui si spegne la luce, uscendo dalle stanze – le poltrone sono coperte dal cellophane, in sala. Gli ascensori hanno talvolta un meccanismo per cui solo introducendo una monetina si accede al privilegio della salita assistita. L'uso in discesa è gratuito, sebbene in genere ritenuto inessenziale. Nel frigorifero si conservano i bianchi d'uovo in un bicchiere, e al ristorante si va di rado, sempre la domenica. Sui balconi, tende verdi proteggono dalla polvere dei viali piantine coriacee e mute, che non promettono niente. La luce, spesso, è ritenuta un disturbo. Grati alla nebbia, per quanto assurdo possa parere, si vive, se quello è vivere.

Tuttavia siamo felici, o quanto meno crediamo di esserlo.

Nel corredo della normalità d'ordinanza è dato, irrinunciabile, il fatto che siamo cattolici – credenti e cattolici. In realtà quella è l'anomalia, la pazzia con cui ribaltiamo il teorema della nostra semplicità, ma a noi pare tutto molto ordinario, regolamentare. Si crede, e non sembra esserci un'altra possibilità. Ciò nondimeno, si crede con ferocia, e fame, non di una fede tranquilla, ma di una passione incontrollata, come un bisogno fisico, un'urgenza. È il seme di una qualche follia – l'addensarsi evidente di un temporale all'orizzonte. Ma padri e madri non leggono la burrasca in arrivo, solo invece il falso messaggio di una mite acquiescenza alle rotte della famiglia: così ci lasciano andare al largo. Giovani che passano il loro tempo libero a cambiare le lenzuola a malati dimenticati nella propria merda – questo non appare a nessuno per quello che è – una forma di follia. O il gusto della povertà, la fierezza degli abiti miserandi. Le preghiere, il pregare. Il senso di colpa, sempre. Siamo dei disadattati, ma nessuno vuole accorgersene. Crediamo nel Dio dei Vangeli.

Così il mondo ha, per noi, confini fisici molto immediati, e confini mentali fissi come una liturgia. E quello è il nostro infinito.

Più lontano, al di là delle nostre consuetudini, in un iperspazio di cui non sappiamo quasi nulla, ci sono quegli altri, figure all'orizzonte. Ciò che balza all'occhio è che non credono – apparentemente non credono a niente. Ma anche una certa dimestichezza col denaro, e i riflessi luccicanti dei loro oggetti e dei loro gesti, la luce. Probabilmente sono semplicemente ricchi – e il nostro sguardo è lo sguardo dal basso di ogni borghesia colta nello sforzo dell'ascesa – sguardi dalla penombra. Non so. Ma percepiamo chiaramente che in loro, padri e figli, la chimica della vita non produce formule esatte ma spettacolari arabeschi, come dimentica della sua funzione regolatrice – scienza ubriaca. Ne risulta l'effetto di esistenze che non capiamo – scritture di cui si è persa la chiave. Non sono morali, non sono prudenti, non hanno vergogna, e sono così da un sacco di tempo. Evidentemente possono contare su granai colmi all'inverosimile, perché dissipano senza calcoli il raccolto delle stagioni, che sia denaro o anche solo sapere, esperienza. Mietono indistintamente bene e male. Bruciano la memoria, e nelle ceneri leggono il loro futuro.

Vanno solenni, e impuniti.

Da lontano, noi li lasciamo passare nei nostri occhi, e poi talvolta nei pensieri. Può anche succedere che nel suo liquido assestamento quotidiano la vita ci porti a sfiorarli, per caso, sospendendo per brevi attimi le distinzioni che vengono naturali. A mischiarsi sono i genitori, di solito – di rado qualcuno di noi, un'amicizia passeggera, una ragazza. Così possiamo guardarli da vicino. Quando poi ritorniamo nei ranghi – non veramente ricacciati indietro, piuttosto sollevati dall'incarico – restano nella memoria alcune pagine aperte, scritte nella loro lingua. Il suono pieno, rotondo, che suonano le corde dei loro padri, nel gioco del tennis, quando le racchette colpiscono la palla. Le case, soprattutto quelle al mare o in montagna, di cui loro sembrano spesso dimenticarsi – senza problemi ne danno le chiavi ai figli, sui tavolini ci sono ancora bicchieri impolverati di alcol, e negli angoli sculture antiche, come in un museo, ma dagli armadi spuntano scarpe di vernice. Le lenzuola, nere. Le foto, abbronzati. Quando si studia insieme a loro – da loro – il telefono squilla in continuazione e lì vediamo le madri, che spesso si scusano di qualcosa, ma sempre ridendo, e con un tono di voce che non conosciamo. Poi si avvicinano e ci passano una mano tra i capelli, dicendo qualcosa come ragazzine, e premendo il seno contro il nostro braccio. C'è poi la servitù, e orari incauti, come improvvisati – non sembrano credere nel potere salvifico delle abitudini. Non sembrano credere in nulla.

È un mondo, e Andre viene da lì. Distante, compare di tanto in tanto, sempre in storie che non ci riguardano. Benché abbia la nostra età, sta per lo più con quelli più grandi, e questo la rende ulteriormente estranea, ed eventuale. Noi la vediamo – è difficile dire se lei ci veda mai. Probabilmente non conosce neanche i nostri nomi. Il suo è Andrea – che nelle nostre famiglie è un nome da maschi, ma non nella sua, dove perfino nel nominare si ha d'istinto una certa inclinazione al privilegio. Né si sono fermati lì, perché poi la chiamano Andre, con l'accento sulla A, ed è un nome che esiste solo per lei. Così è stata sempre, per tutti, Andre. È, naturalmente, molto bella, lo sono quasi tutti, fra quelli là, ma bisogna dire che lei in modo particolare, e senza volerlo. Ha qualcosa di maschile. Una durezza. Questo ci facilita le cose – noi siamo cattolici: la bellezza è una virtù morale, e non c'entra con il corpo, così la curva di un sedere non significa niente, né l'angolo perfetto di una caviglia sottile deve significare alcunché: il corpo femminile è l'oggetto di un rinvio sistematico. In definitiva, tutto quello che sappiamo della nostra inevitabile eterosessualità l'abbiamo imparato dagli occhi scuri di un amico del cuore, o dalle labbra di un compagno di cui siamo stati gelosi. La pelle, ogni tanto, con gesti che abbozziamo senza capire, sotto le maglie da calcio. Alla fine, va da sé che le ragazze un po' maschili ci risultano più gradite. Andre, in questo, è perfetta. Porta i capelli lunghi, ma con il furore di un indiano d'America – mai vista sistemarli o spazzolarli, li porta e basta. Tutta la sua meraviglia è nel volto – il colore degli occhi, lo spigolo degli zigomi, la bocca. Non sembra necessario guardare altro – il suo corpo è soltanto un modo di stare, di appoggiare il peso, di andarsene – è una conseguenza. Nessuno di noi si è mai chiesto come sia sotto il maglione, non è urgente saperlo, e la cosa ci è grata. Basta, a tutti, quel suo modo di muovere, in ogni istante – un'eleganza ereditata di gesti e mezze voci, prolungamento della sua bellezza. Alla nostra età nessuno controlla davvero il corpo, si cammina con l'esitazione del puledro, abbiamo voci non nostre: ma lei appare antica, tanto conosce, di ogni stare, le sfumature, per istinto. È chiaro che le altre ragazze provano le stesse mosse, e intonazioni, ma di rado ci arrivano, perché è una costruzione quello che in lei è dono – grazia. Nel vestirsi, come nello stare – in ogni istante.

Così, da lontano, ne siamo incantati, come incantati ne sono, va detto, anche gli altri, tutti. I ragazzi più grandi sanno la sua bellezza, e perfino i vecchi, che hanno quarant'anni. La sanno le sue amiche, e tutte le madri – e la sua, come una ferita nel fianco. Sanno tutti che è così, e che non ci si può fare niente.

Per quel che ne capiamo noi, non c'è nessuno che possa dire di essere stato il ragazzo di Andre. Non l'abbiamo mai vista tenersi per mano con qualcuno. O un bacio – anche solo un gesto leggero sulla pelle di un ragazzo. Non è da lei. Non le importa di piacere *a qualcuno* – sembra impegnata in qualcosa d'altro – di più complicato. Ci sono ragazzi che dovrebbero attirarla, molto diversi da noi, ovviamente, come gli amici del fratello, vestiti bene, parlano con uno strano accento, come se ci tenessero a schiudere poco le labbra. Volendo, ci sarebbero anche maschi adulti che a noi sembrano rivoltanti e che girano intorno. Gente con macchine. E succede in effetti di vedere Andre partire con loro – nelle macchine rivoltanti o sulle moto. Soprattutto la sera – come se il buio la portasse in un cono d'ombra che non vogliamo capire. Ma tutto questo non ha nulla a che fare con il naturale andare delle cose – di ragazzi e ragazze insieme. È come una sequenza a cui sono stati sottratti determinati passaggi. Non ne risulta quel che noi chiamiamo amore.

Così non è di nessuno, Andre – ma noi sappiamo che, anche, è di tutti. Può esserci una parte di leggenda, indubbiamente, ma quello che si racconta in giro è ricco di particolari, come di chi avesse visto, e sa. E noi la *riconosciamo*, in quei racconti – ci è faticoso visualizzare tutto il resto, ma lei, lì in mezzo, è proprio lei. Il suo modo di fare. Aspetta nei bagni del cinema, appoggiata alla parete, e loro vanno uno dopo l'altro, a prendersela, senza che lei nemmeno si volti. Se ne va, poi, senza tornare a prendersi il cappotto in sala. Vanno a puttane con lei, e lei ride molto a stare in un angolo, a guardare – se sono travestiti li guarda e li tocca. Non beve mai, non fuma, scopa lucidamente, sapendo di farlo e, si dice, sempre in silenzio. Girano delle polaroid, che noi non abbiamo mai visto, in cui lei è l'unica femmina. Non le importa di farsi fotografare, non le importa che alle volte siano i padri, dopo i figli, non sembra importarle di niente. Ogni mattina, nuovamente è di nessuno.

Per noi è difficile da capire. Il pomeriggio andiamo in ospedale, quello dei poveri. Reparto maschile, urologia. Sotto le coperte i malati non hanno i pantaloni del pigiama ma un tubicino di gomma infilato nell'uretere. Il tubicino è collegato a un altro tubicino, appena più grande, che finisce in una sacca di gomma trasparente, assicurata al montante laterale del letto. I malati così pisciano, senza accorgersene, o senza doversi alzare. Tutto finisce nella sacca trasparente – l'urina è acquosa, o più scura, fino al rosso del sangue. Quello che facciamo noi è svuotare quelle benedette sacche. C'è da scollegare i due tubicini, staccare la sacca, andare in bagno tenendo in mano quella vescica piena, e svuotare tutto nella tazza del gabinetto. Poi torniamo in corsia e rimettiamo ogni cosa al suo posto. Il difficile è quella faccenda di scollegare – stringi con le dita il tubicino che è inserito nell'uretere, e devi dare uno strattone, se no quello non si sfila via dall'altro tubicino, quello della sacca. Così cerchi di farlo adagio. Lo facciamo parlando – diciamo qualcosa ai malati, di allegro, mentre chini su di loro proviamo a non fargli troppo male. A loro, in quel momento, non frega niente delle nostre domande, perché solo stanno pensando a quella fucilata nell'uccello, ma rispondono, tra i denti, perché sanno che lo facciamo per loro, di parlare. Le sacche si svuotano togliendo un tappino rosso nell'angolo basso. Spesso rimangono sul fondo delle sabbie, come fondi di bottiglia. Allora devi sciacquare bene. Facciamo questo perché crediamo nel Dio dei Vangeli.

Quanto ad Andre, va detto che una volta l'abbiamo vista con i nostri occhi, in un bar – a quell'ora di notte, divani di pelle e luci basse, e molti di quelli là – noi c'eravamo per sbaglio, per la voglia di un panino a quell'ora di notte. Andre era seduta, altri erano seduti, tutti dei loro. Lei si alzò e uscì passandoci vicino – si andò ad appoggiare al cofano di una macchina sportiva, in seconda fila, le luci di posizione accese. Arrivò uno di quelli, aprì la macchina e salirono tutt'e due. Noi mangiavamo il panino, in piedi. Non si spostarono da lì – non doveva significare un granché il fatto che le auto passassero di fianco – e perfino qualche passante, raro. Lei si chinò, infilando la testa tra il volante e il petto del ragazzo: che rideva, intanto, e guardava davanti a sé. C'era la portiera che copriva tutto, è ovvio, ma ogni tanto si vedeva dal finestrino la testa di lei che si sollevava – dava uno sguardo fuori, secondo un ritmo tutto suo. Una di quelle volte lui le mise una mano sulla testa per spingergliela di nuovo giù, ma Andre la scostò via con un gesto rabbioso – e urlò qualcosa. Noi continuavamo a mangiare il panino, ma eravamo come stregati. Per un po' rimasero in quella ridicola posizione, senza parlare – Andre sembrava una tartaruga che tenesse fuori la testa. Poi però la abbassò di nuovo, giù, dietro la portiera. Il ragazzo piegò il collo all'indietro. Noi finimmo il panino, e alla fine il ragazzo scese dalla macchina, rideva e si sistemava la giacca che cadesse bene. Rientrarono nel bar. Andre ci passò davanti e guardò uno di noi come se cercasse di ricordare qualcosa. Poi andò a risedersi sul divano di pelle.

Era proprio un pompino, disse poi Bobby, che sapeva cos'era – l'unico di noi che sapesse, bene, cos'era un pompino. Aveva avuto una ragazza che li faceva. Confermò allora che era un pompino, non c'era alcun dubbio. Continuammo a camminare in silenzio, ed era chiaro che ciascuno di noi stava cercando di mettere le cose insieme, per immaginare da vicino quello che era successo dietro la portiera dell'auto. Ci stavamo facendo un'immagine in testa, e miravamo al primo piano. Si lavorava con il poco che si aveva – io avevo da parte giusto lo scorcio della mia ragazza, una volta, con la punta del mio cazzo in bocca, ma appena appena – lo teneva così, senza muoversi, e con gli occhi stranamente aperti – un po' troppo aperti. Da lì a immaginare Andre – non veniva così semplice, indubbiamente. Ma sarà andata meglio a Bobby, sicuro, e forse anche a Luca, che è taciturno su quelle cose, ma deve avere visto più di me, fatto e visto. Quanto al Santo, lui è differente. Non ho voglia di parlarne – non adesso. E comunque è di quelli che non escludono il prete, pensando a cosa fare da grandi. Non lo dice, ma lo capisci. Il lavoro all'ospedale l'ha trovato lui – fa parte del nostro modo di impiegare il tempo libero. Prima andavamo a passare i pomeriggi con dei vecchietti – gli portavamo da mangiare, erano vecchi senza un soldo, dimenticati – si andava nelle loro case minuscole. Poi Il Santo scoprì quella storia dell'ospedale dei poveri, e disse che era bella. In effetti ci piace, poi, uscire all'aria aperta, con ancora l'odore di piscio nelle narici, e camminare a fronte alta. Sotto le coperte, i vecchi ammalati hanno membri stanchi, e tutti i peli intorno bianchi, come i capelli, bianchi. Sono poverissimi, non hanno parenti che gli portano il giornale, aprono bocche marce, si lamentano in modo nauseabondo. C'è da vincere un bel po' di schifo, per la sporcizia, gli odori, e i dettagli – tuttavia siamo capaci di farlo, e ne abbiamo in cambio qualcosa che non sapremmo dire – come una certezza, la consistenza pietrosa di una certezza. Così usciamo nel buio più fermi, e apparentemente più veri. È lo stesso buio che ogni sera si ingoia Andre e le sue perdute avventure, seppure ad altre latitudini del vivere, artiche, estreme. Per quanto assurdo sia, c'è un'unica tenebra, per tutti.

Uno di noi, come si è visto, lo chiamiamo Bobby. Ha un fratello più grande che è sputato John Kennedy. Per cui è Bobby.

Una sera, sua madre stava mettendo a posto le cose in cucina – finirono a parlare di Andre. Le nostre madri parlano di Andre, se capita, mentre i padri tirano via con una smorfia indecifrabile, tanto lei è bella e scandalosa li imbarazza parlarne, ci tengono a passare per asessuati. Dunque quella madre invece ne parlò, con Bobby. Disse: poverina. Poverina non era la parola che veniva in mente a Bobby, se pensava ad Andre. Così la madre dovette spiegare. Arrotolava i tovaglioli e li infilava in cerchi di legno, ma di plastica, colorati. Disse che quella ragazza non era come le altre. Lo so, disse Bobby. No, non lo sai, disse lei. E poi aggiunse che Andre si era uccisa – era successo tempo prima. Stettero un po' zitti. La madre di Bobby non sapeva se era il caso di continuare. Ha provato ad uccidersi, disse alla fine. Poi si raccomandò tanto che Bobby non ne facesse parola con nessuno – fu così che lo venimmo a sapere.

Aveva scelto una giornata di pioggia. Si era vestita

con un sacco di roba. Sotto a tutto si era messa un paio di mutande del fratello. Poi aveva continuato con magliette, maglioni, e una gonna sopra i pantaloni. Anche i guanti. Un cappello e due cappotti, uno più leggero, sotto, e uno spesso. Si era anche infilata degli stivali di gomma ai piedi – gomma verde. Così era uscita, ed era andata sul ponte, quello sul fiume. Dato che era notte, lì non c'era nessuno. Qualche macchina, senza voglia di fermarsi. Andre si era messa a camminare sotto la pioggia, quello che voleva era inzuppare tutto e diventare pesante come un relitto. Camminò a lungo, avanti e indietro, fino a sentire il peso di tutta quella roba marcia. Poi scavalcò la ringhiera di ferro e si buttò nell'acqua, che a quell'ora era nera – l'acqua del fiume nero.

Qualcuno la salvò.

Ma chi ha iniziato a morire non smette mai di farlo, e adesso noi sappiamo perché Andre ci attira oltre ogni buon senso, e a dispetto di ogni nostra convinzione. La vediamo ridere, o fare cose come andare in motorino, e accarezzare un cane – dei pomeriggi va in giro con un'amica, tenendola per mano, e ha delle borsette dove dentro mette cose utili. Tuttavia noi non ci crediamo più perché abbiamo in mente quando gira la testa d'improvviso cercando qualcosa, gli occhi terrorizzati – ossigeno. Perfino il vezzo che ha, il collo curvo all'indietro, il mento sollevato – il vezzo di stare così. Su un invisibile pelo dell'acqua. E ogni suo disperdersi, compresi quelli impronunciabili e senza vergogna, che non sappiamo dire. Sono come lampi, e noi li capiamo.

È che muore. Andre – muore.

Poi Bobby chiese alla madre perché Andre lo aveva fatto, ma lì la madre si complicò un po', si intuiva che il resto della storia proprio non voleva raccontarlo, chiuse di scatto un cassetto, con una forza di cui non c'era bisogno, sono madri che non sprecano niente, neanche la pressione di un polso sulla maniglia di un cassetto – ma lei lo fece, ed era per dire che non se ne parlava più.

Una volta siamo andati al ponte, di sera, perché volevamo vedere l'acqua nera – *quella* acqua nera. Io, Bobby, Il Santo e Luca, che tra tutti è il mio migliore amico. Ci andammo in bicicletta. Volevamo vedere cosa avevano visto gli occhi di Andre, per così dire. E quanto era alta veramente l'aria, a pensare di saltarla. C'era anche una mezza idea di salire in piedi sulla ringhiera, o forse di lasciarsi penzolare un po' in avanti, sul vuoto. Tenendosi bene, comunque, perché siamo tutti ragazzi che arrivano a cena puntuali – le nostre famiglie credono nelle abitudini e negli orari. Dunque andammo: ma l'acqua era così nera da sembrare spessa e pesante – un fango, un petrolio. Era orribile, e non c'era altro da dire. Guardavamo giù, appoggiati al ferro ghiacciato della ringhiera, fissando le vene grasse della corrente, e il nero senza fondo.

Se c'era una forza che poteva spingerti a saltare,

noi non la conoscevamo. Siamo pieni di parole di cui non ci hanno insegnato il vero significato, e una è la parola dolore. Un'altra è la parola morte. Non sappiamo cosa indicano, ma le usiamo, e questo è un mistero. Ci succede anche con parole meno solenni. Bobby una volta mi disse che quando era giovane, e aveva quattordici anni, gli era capitato di andare a una riunione in parrocchia dedicata al tema della masturbazione, e la cosa curiosa era che, in realtà, lui, all'epoca, non conosceva affatto il significato della parola masturbazione – la verità era che non sapeva cosa fosse. Ma c'era andato, e anzi aveva detto la sua e discusso animatamente, questo se lo ricordava bene. Disse che, a ripensarci, non era nemmeno sicuro che *gli altri* sapessero di cosa stavano parlando. Capace che lì dentro l'unico che si faceva veramente le pippe fosse il prete, disse. Poi mentre mi raccontava questa storia, dovette venirgli un dubbio, e allora aggiunse: sai di cosa sto parlando, vero?

Sì, lo so. Masturbazione, so cos'è.

Beh, io non lo sapevo, disse lui. Avevo in mente certe volte che mi strofinavo contro il cuscino, la sera, perché non riuscivo a dormire. Lo mettevo fra le gambe e mi strofinavo. Tutto lì. E ci ho fatto una discussione, su quella roba, ci pensi?

Ma siamo così, usiamo un sacco di parole di cui non conosciamo il significato e una è la parola dolore. Un'altra è la parola morte. Per questo non ci fu possibile avere gli occhi di Andre, e guardare l'acqua nera, dal ponte, come l'aveva vista lei. Che invece viene da un mondo senza cautele, in cui l'umana avventura non corre a ridosso della normalità, ma sbanda larga, fino a lambire ogni parola lontana, per quanto acuminata sia – e prima fra tutte quella che dice il morire. Nelle loro famiglie muoiono spesso senza aspettare la vecchiaia, come impazienti, e tale è la consuetudine con la parola morte che non di rado si annovera nel loro recente passato l'occorrenza di uno zio, una sorella, un cugino, che è stato ucciso – o che *ha* ucciso. Noi moriamo, ogni tanto, loro sono assassini e assassinati. Se cerco di spiegare lo squarcio di casta che ci separa da loro, nulla mi sembra più esatto che risalire a ciò che li rende irrimediabilmente diversi, e apparentemente superiori – il disporre di destini tragici. Una certa capacità di destino, e in particolare di destini tragici. Quando noi invece – sarebbe corretto dire che il tragico non ce lo possiamo permettere, forse un destino nemmeno – i nostri padri e le nostre madri direbbero che *non ce lo possiamo permettere*. Per cui abbiamo zie sulla sedia a rotelle per intervenuti colpi apoplettici – sbavano educatamente e guardano la televisione. Intanto, nelle famiglie di quelli là, nonni in completo di sartoria penzolano tragici da travi cui si sono appesi per intervenuti dissesti finanziari. Così come può capitare che il cugino l'abbiano trovato un giorno con la testa squarciata da un colpo ben assestato, inferto dall'alto al basso, nella cornice di un appartamento fiorentino – corpo del reato una statuetta ellenistica raffigurante La temperanza. Noi invece abbiamo nonni che vivono in eterno: si recano ogni domenica, compresa l'ultima prima di morire, nella stessa pasticceria, alla stessa ora, a comprare le stesse paste. Disponiamo di destini misurati, come in conseguenza di un misterioso precetto di economia domestica. Così, tagliati fuori dal tragico, riceviamo in eredità la bigiotteria del dramma – insieme all'oro zecchino della fantasia.

Questo per sempre ci renderà minori, privati – e imprendibili.

Ma Andre viene da là, e quando guardò l'acqua scura vide passare un fiume di cui aveva appreso fin da piccola le sorgenti. Come iniziamo a capire, tutta una rete di morti tesse la sua, e nella sua si prolunga l'ordito di un'unica morte, generata dal telaio dei loro privilegi. Così aveva scavalcato la ringhiera di ferro, quando noi appena riuscivamo a sporgerci un po', sul fango nero. Si era lasciata cadere. Il ceffone del freddo l'avrà sentito, poi il lento sprofondare.

Quindi andammo al ponte, e ne fummo spaventati. Nel tornare a casa, in bicicletta, avevamo in mente che era tardi, e spingevamo sui pedali. Non scambiavamo parole. Bobby girò per casa sua, poi Il Santo. Rimanemmo Luca ed io. Pedalavamo uno di fianco all'altro, ma ancora muti.

L'ho detto, tra tutti lui è il mio migliore amico. Possiamo capirci in un gesto, alle volte è sufficiente un sorriso. Prima che arrivassero le ragazze, abbiamo passato insieme tutti i pomeriggi della nostra vita – o almeno così ci pare. So quando se ne sta andando, e alle volte potrei dire un attimo prima quando inizierà a parlare. Lo troverei in una folla intera, al primo sguardo, solo per il suo modo di camminare – le spalle. Sembro più grande di lui, lo sembriamo tutti, perché in lui è rimasto molto del bambino, nelle ossa piccole, nella pelle candida, nei tratti del volto, che ha delicati e bellissimi. Come le mani, e il collo sottile – le gambe asciutte. Ma lui non lo sa, a stento lo sappiamo noi – come ho detto la bellezza fisica è qualcosa di cui non ci curiamo. Non è necessaria all'edificazione del Regno. Così Luca la porta su di sé senza usarla – un appuntamento rinviato. Ai più appare un tipo lontano, e le ragazze adorano quella distanza, che chiamano tristezza. Ma, come a tutti, a lui piacerebbe, semplicemente, essere felice.

Un paio di anni fa, quindicenni, eravamo a casa mia, in uno di quei pomeriggi, sdraiati sul letto a leggere certe riviste di Formula Uno – eravamo in camera mia. Proprio attaccata al letto c'era una finestra, ed era aperta – dava sul giardino. E nel giardino c'erano i miei genitori: parlavano, era di domenica. Noi non stavamo a sentire, stavamo leggendo, ma a un certo punto ci mettemmo ad ascoltare, perché i miei si erano messi a parlare della madre di Luca. Non si erano accorti che lui era lì, evidentemente, e stavano parlando di sua madre. Stavano dicendo che era davvero una donna in gamba ed era un peccato che fosse stata così sfortunata. Dissero qualcosa sul fatto che Dio le aveva riservato una croce terribile. Io guardai Luca, lui sorrideva e mi fece un segno, per dire di star fermo, di non far rumore. Sembrava divertito dalla cosa. Allora restammo ad ascoltare. Là fuori, in giardino, mia madre stava dicendo che doveva essere tremendo vivere accanto a un marito così malato, doveva essere una solitudine straziante. Poi chiese a mio padre se si sapeva come andassero le cure. Mio padre disse che avevano provato di tutto ma la verità è che non si esce mai veramente da quelle storie lì. C'è giusto da sperare, disse, che non decida di farsi fuori, prima o poi. Parlava del padre di Luca. Io incominciavo a vergognarmi per quello che stavano dicendo, tornai a guardare Luca, lui mi fece un cenno come per dire che non ci capiva niente, non sapeva di cosa stessero parlando. Mi posò una mano su una gamba, voleva che non mi muovessi, che non facessi rumore. Voleva ascoltare. Là fuori, nel giardino, mio padre stava parlando di una cosa chiamata depressione, che evidentemente era una malattia, perché c'entrava con farmaci e dottori. A un certo punto disse Dev'essere tremendo, per la moglie e anche per il figlio. Poveretti, disse mia madre. Tacque per un po' e poi ripeté Poveretti, intendendo dire che Luca e sua madre lo erano perché dovevano vivere accanto a quell'uomo malato. Disse che si poteva solo pregare, e che l'avrebbe fatto. Poi mio padre si alzò, e tutti e due si alzarono, e rientrarono in casa. Noi abbassammo d'istinto gli occhi sulle riviste di Formula Uno, avevamo terrore che la porta della camera si aprisse. Ma non accadde. Si sentirono i passi dei miei, lungo il corridoio, che andavano verso il salotto. Rimanemmo lì, immobili, il cuore che batteva.

C'era da andarsene, da lì, e non finì benissimo. Quando eravamo già in giardino, mia madre uscì per chiedermi quando contavo di tornare, e così si accorse di Luca. Disse allora il suo nome, come in una specie di saluto, ma acceso da una sorpresa sgomenta – senza riuscire ad aggiungere niente, come invece avrebbe fatto, in un altro giorno qualunque. Luca si voltò verso di lei e le disse Buonasera signora. Lo disse con educazione, nel tono più normale che c'è. Siamo bravissimi, a fingere. Ce ne andammo che mia madre era ancora là, sulla soglia, immobile, una rivista in mano, l'indice a tenere il segno.

Nel camminare, uno di fianco all'altro, per un po' non ci dicemmo niente. Arroccati nei nostri pensieri, tutti e due. Quando ci fu da attraversare una strada, allora alzai lo sguardo, e mentre guardavo le macchine arrivare, anche guardai Luca, per un attimo. Aveva gli occhi rossi, il capo chino.

Il fatto è che a me non era mai venuto in mente che suo padre fosse *malato* – e la verità, per quanto strana, è che neanche Luca aveva mai pensato nulla del genere: questo dà un'idea di come siamo fatti. Abbiamo una fiducia cieca nei nostri genitori, quello che vediamo in casa è il giusto ed equilibrato andare delle cose, il protocollo di ciò che consideriamo una sanità mentale. *Adoriamo* i nostri genitori per questo – ci mantengono al riparo da qualsiasi anomalia. Così non esiste l'ipotesi che loro, per primi, possano essere un'anomalia – *una malattia*. Non esistono madri malate, ma solo stanche. I padri non falliscono mai, sono a volte nervosi. Una certa infelicità, che preferiamo non registrare, assume di tanto in tanto la forma di patologie che avrebbero nomi, ma in famiglia non li pronunciamo. L'uso di medici è sgradito e, nel caso, ridimensionato dalla scelta di medici amici, consueti alla casa, poco più che confidenti. Dove servirebbe l'aggressione di uno psichiatra, si preferisce la bonaria amicizia di dottori che conosciamo da una vita – altrettanto infelici.

A noi questo sembra normale.

Così, senza saperlo, ereditiamo l'incapacità verso la tragedia, e la predestinazione alla forma minore del dramma: perché nelle nostre case non si accetta la realtà del male, e questo rinvia all'infinito qualsiasi sviluppo tragico innescando l'onda lunga di un dramma misurato e permanente – la palude in cui siamo cresciuti. È un habitat assurdo, fatto di dolore represso e quotidiane censure. Ma noi non possiamo accorgerci di quanto sia assurdo perché come rettili di palude conosciamo solo quel mondo, e la palude è per noi la normalità. Per questo siamo in grado di metabolizzare incredibili dosi di infelicità scambiandole per il doveroso corso delle cose: non ci sfiora il sospetto che nascondano ferite da curare, e fratture da ricomporre. Allo stesso modo ignoriamo cosa sia lo scandalo, perché ogni eventuale devianza tradita da chi ci sta attorno la accettiamo d'istinto come un'integrazione solo inattesa al protocollo della normalità. Così, ad esempio, nel buio dei cinema parrocchiali, abbiamo sentito la mano del prete appoggiarsi all'interno delle nostre cosce senza provare rabbia, ma cercando di dedurre in fretta che evidentemente le cose stavano così, i preti appoggiavano la mano lì – non era neanche il caso di parlarne a casa. Avevamo dodici, tredici anni. Non spostavamo la mano del prete. Prendevamo l'eucaristia dalla stessa mano, la domenica dopo. Eravamo capaci di farlo, siamo capaci ancora di farlo – perché non dovremmo essere capaci di scambiare la depressione per una forma di eleganza, e l'infelicità per una colorazione appropriata della vita? Il padre di Luca non va mai allo stadio perché non sopporta stare in mezzo a troppa gente: è una cosa che sappiamo e che interpretiamo come una forma di distinzione. Siamo abituati a considerarlo vagamente aristocratico, per quel suo stare silenzioso, anche quando si va al parco. Cammina lento e ride a strappi, come una concessione. Non guida. Che ci ricordiamo, non ha mai alzato la voce. Ci sembrano tutte manifestazioni di una superiore dignità. Né ci mette sull'avviso il fatto che intorno a lui tutti siano sempre di un'allegria particolare – la parola esatta sarebbe *sforzata*, ma a noi non viene mai in mente, per cui è un'allegria *particolare*, che interpretiamo come una forma di rispetto – è, infatti, funzionario del Ministero. In definitiva lo consideriamo un padre come gli altri, solo più illeggibile, forse – straniero.

Ma Luca, la sera, si siede accanto a lui, sul sofà, davanti alla televisione. Il padre gli appoggia una mano sul ginocchio. Non dice niente. Non dicono niente. Ogni tanto il padre stringe la mano forte sul ginocchio del figlio.

Che vuol dire che è una malattia?, mi chiese Luca quel giorno, continuando a camminare.

Non lo so, non ne ho la minima idea, dissi. Era la verità.

Ci sembrò inutile parlarne ancora, e per moltissimo tempo non ne parlammo più. Fino a quella sera, che tornavamo dal ponte di Andre, ed eravamo rimasti soli. Davanti a casa mia, le bici ferme, un piede giù e l'altro sul pedale. I miei mi aspettavano, si cena sempre alle sette e mezzo, non so perché. Avrei dovuto andare, ma si capiva che Luca aveva da dire una cosa. Spostò il peso sull'altra gamba, inclinando un po' la bicicletta. Poi disse che appoggiato alla ringhiera del ponte aveva capito un ricordo – si era ricordato di una cosa e l'aveva capita. Aspettò un po' per vedere se me ne dovevo andare. Io rimasi lì. A casa nostra, disse, mangiamo quasi in silenzio. Da voi è diverso, e anche da Bobby o dal Santo, ma da noi si mangia in silenzio. Puoi sentire tutti i rumori, la forchetta sul piatto, l'acqua nel bicchiere. Mio padre, soprattutto, sta in silenzio. È sempre stato così. Allora mi sono ricordato quante volte mio padre – mi sono ricordato che lui spesso si alza, a un certo punto, accade spesso che si alzi, senza dire niente, quando non abbiamo ancora finito, si alza, apre la porta che dà sul balcone, ed esce sul balcone, accosta la porta dietro e poi si appoggia alla ringhiera, e sta lì. Per anni l'ho visto fare così. Io e la mamma allora ne approfittiamo – diciamo delle cose, la mamma scherza, si alza a mettere a posto un piatto, una bottiglia, mi fa una domanda, così. Dal vetro della finestra c'è mio padre, di là, di schiena, un po' curvo, appoggiato alla ringhiera. Per anni non ci ho mai pensato, ma stasera, sul ponte, mi è venuto in mente cosa va a fare lì. Mi sa che mio padre va lì per buttarsi di sotto. Poi non ha il coraggio di farlo, ma ogni volta si alza e va lì con quell'idea.

Alzò gli occhi, perché voleva guardarmi.

È come Andre, disse.

Così Luca è stato il primo di noi a sconfinare. Non l'ha fatto apposta – non è un ragazzo inquieto o altro. Si è trovato davanti a una finestra aperta mentre adulti parlavano senza cautele. E, da lontano, ha imparato il morire di Andre. Sono due indiscrezioni che hanno incrinato la sua patria – la nostra. Per la prima volta qualcuno di noi si è spinto al di là dei confini ereditati, nel sospetto che non ci siano confini, in realtà, né una casa madre, nostra, intaccata. A passi timidi, si è messo a camminare una terra di nessuno dove le parole dolore e morte hanno un significato preciso – dettate da Andre, e scritte nella nostra lingua con la grafia dei nostri genitori. Da quella terra ci guarda, aspettando che lo seguiamo.

Poiché Andre è irrisolvibile, nella sua famiglia citano spesso la nonna, che adesso è morta. Attualmente la mangiano i vermi, secondo la loro versione dei destini umani. Noi sappiamo che invece attende il Giorno del Giudizio, e la fine dei tempi. La nonna era un'artista – la si può trovare nelle enciclopedie. Niente di speciale, ma a sedici anni aveva attraversato l'Oceano con un grande scrittore inglese, lui le dettava e lei scriveva a macchina, su una Remington portatile. Lettere, oppure pezzi di libri, racconti. In America aveva scoperto la fotografia, adesso nelle enciclopedie risulta come fotografa. Fotografava preferibilmente gente derelitta e ponti in ferro. Lo faceva bene e in bianco e nero. Aveva sangue ungherese e spagnolo, nelle vene, ma si sposò poi in Svizzera con il nonno di Andre – diventando così ricchissima. Noi non l'abbiamo mai vista. Era nota per la sua bellezza. Andre le assomiglia, dicono. Anche il carattere.

A un certo punto la nonna smise di fotografare – si dedicò a tenere insieme la famiglia, di cui divenne il despota raffinato. Ne patì suo figlio, unico figlio, e la donna che lui sposò, una modella, italiana: i genitori di Andre. Erano giovani e incerti, così la nonna li spezzava regolarmente, perché era vecchia e di una forza inspiegabile. Viveva con loro e mangiava a capotavola – un cameriere le porgeva i piatti pronunciando il nome delle portate, in francese. Questo fino a quando non è morta. Il nonno se n'era andato anni prima, va detto, per completare il quadro. Morto, a essere precisi.

Prima di Andre, i genitori di Andre avevano avuto due gemelli. Un maschio e una femmina. Alla nonna era sembrata una circostanza piuttosto volgare – era convinta che fosse tipico dei poveri avere dei gemelli. In particolare mal sopportava la bambina, che si chiamava Lucia. Non ne capiva l'utilità. Tre anni dopo, la madre di Andre rimase incinta di Andre. La nonna disse che ovviamente doveva abortire. Tuttavia lei non lo fece. Ed ecco quel che accadde dopo, esattamente.

Il giorno che Andre uscì dal ventre della madre era un giorno di aprile – il padre era in viaggio, i due gemelli a casa, con la nonna. Dalla clinica telefonarono a casa per dire che la signora era entrata in sala parto, la nonna disse Bene. Si informò che i gemelli avessero mangiato, poi si sedette a tavola e prese il pranzo. Dopo il caffè congedò la tata spagnola per un paio d'ore e portò i gemelli in giardino, c'era il sole, era una bella giornata di primavera. Si mise su una sedia a sdraio e si addormentò, perché le accadeva di farlo, talvolta, dopo il pranzo, e non ritenne opportuno regolarsi diversamente. O le accadde, semplicemente – di addormentarsi. I due gemelli giocavano nel prato. C'era una vasca con una fontana, in giardino, una vasca in pietra con pesci rossi e gialli. Al centro, uno zampillo. I gemelli si avvicinarono, per giocare. Gettavano nella vasca cose che trovavano in giardino. Lucia, la femmina, a un certo punto pensò che sarebbe stato bello toccare l'acqua con le mani, e poi con i piedi, e giocarci dentro. Aveva tre anni, per cui la cosa non era facile, tuttavia lei ci riuscì, puntando i piedini contro la pietra e spingendo la testa oltre il bordo. Il fratello un po' la guardava, un po' andava a raccogliere cose nel prato. La bambina alla fine scivolò nell'acqua, facendo un rumore lieve, come di piccolo animale anfibio – di creatura rotonda. La vasca era poco profonda, trenta centimetri appena, ma la bambina si spaventò dell'acqua, forse picchiò contro la pietra del fondo, e questo dovette appannare l'istinto che certo l'avrebbe salvata, in modo semplice e naturale. Così respirò l'acqua scura, e quando cercò l'aria necessaria per piangere non la trovò più. Si rigirò un po', affannosamente, puntando i piedi e schiaffeggiando l'acqua con le mani, che erano però piccole mani, e il rumore fu come d'argento leggero. Poi rimase immobile, tra i pesci gialli e rossi, che non capivano. Il fratello si avvicinò a guardare. In quel momento Andre uscì dal ventre di sua madre, e lo fece nel dolore, come sta scritto nel libro in cui crediamo.

Noi lo sappiamo perché è una storia che si sa – nel mondo di Andre non c'è pudore e vergogna. È così che tramandano la loro superiorità, e rimarcano il loro privilegio tragico. La cosa li predispone a lievitare inevitabilmente nella leggenda – e in effetti di questa storia esistono numerose varianti. Alcune tramandano che fosse la tata spagnola ad essersi addormentata, ma anche si dice che la bambina fosse già morta quando fu messa nell'acqua. Il ruolo della nonna risulta sempre piuttosto ambiguo, ma va considerata l'inclinazione ad appoggiare qualsiasi narrazione sulla certezza di un personaggio malvagio – quale lei, per certi aspetti, sicuramente era. Anche la storia del padre in viaggio è sembrata a molti sospetta, apocrifa. Tuttavia su un particolare tutti concordano, e cioè sul fatto che i polmoni di Andre diedero il primo respiro nello stesso istante in cui quelli della sua sorellina smarrirono l'ultimo, come per una naturale dinamica di vasi comunicanti – come per una legge di conservazione dell'energia, applicata su scala famigliare. Erano due bambine, e si erano scambiate la vita.

La madre di Andre lo seppe appena uscita dalla sala parto. Poi le portarono Andre, che dormiva. La strinse al petto, e seppe con certezza che l'operazione mentale cui era chiamata era superiore alle sue forze – a quelle di chiunque. Così ne fu ferita per sempre.

Quando, anni dopo, la nonna morì, fu un funerale piuttosto spettacolare, con una certa partecipazione da ogni parte del mondo. La madre di Andre vi si recò in abito rosso, che molti ricordano corto e attillato.

Spesso il padre di Andre, ancor oggi, per cattiveria o distrazione, chiama Andre con il nome della sorellina morta – la chiama Lucy, che era come lui chiamava quella sua bambina, quando la prendeva in braccio.

Andre si è buttata dal ponte quattordici anni dopo la morte della sorellina. Non l'ha fatto nel giorno del suo compleanno, l'ha fatto in un giorno qualunque. Ma respirò l'acqua scura, ed era, in un certo senso, la seconda volta che lo faceva.

Siamo in quattro, perché suoniamo insieme, e la nostra è una band. Il Santo, Bobby, Luca ed io. Suoniamo in chiesa. Siamo delle star, nel nostro ambiente. C'è un prete famoso per come predica, e noi suoniamo alla sua messa. La chiesa è sempre zeppa – vengono da altri quartieri per sentirci. Facciamo messe che durano anche un'ora, ma a tutti va bene così.

Naturalmente ci siamo chiesti se siamo davvero bravi, ma non c'è modo di saperlo, perché suoniamo quella musica lì, un genere molto particolare. Da qualche parte, negli uffici di note case editrici cattoliche, qualcuno compone queste canzoni, e noi le cantiamo. Nessuna di queste canzoni avrebbe, fuori da lì, la minima possibilità di essere una bella canzone – se a cantarla fosse un cantautore qualunque, la gente si chiederebbe cosa gli è successo. Non è rock, non è musica beat, non è folk, non è nulla. È come gli altari fatti con le macine di mulino, i paramenti di tela di sacco, i calici in terracotta, le chiese di mattoni rossi: la stessa Chiesa che una volta commissionava gli affreschi di Rubens e le cupole di Borromini adesso si affligge in un'estetica evangelica vagamente svedese – ai limiti del protestante. Roba che non ha rapporto con la bellezza vera più di quanta ne abbia una panca in rovere, o un aratro ben fatto. Non ha rapporto con la bellezza che intanto fuori da lì stanno generando gli uomini. E questo vale anche per la nostra musica – è bella solo lì, lì dentro è *giusta*. Non ne rimarrebbe niente, data in pasto al mondo di fuori.

Tuttavia è possibile che noi siamo effettivamente bravi – non lo si può escludere. È soprattutto Bobby che insiste, dice che dovremmo provare a suonare canzoni nostre e farlo fuori da una chiesa. Il teatro della parrocchia andrebbe benissimo, dice. In realtà sa che non andrebbe affatto bene – noi dovremmo suonare in posti pieni di fumo dove la gente spacca cose e le ragazze ballano lasciando che le tette scivolino fuori.

È lì, che ci farebbero a pezzi. O darebbero di matto – non si può sapere.

Per smuovere un po' la situazione, a Bobby è venuta in mente Andre.

Andre balla – lo fanno tutte, in quel mondo là – le ragazze ballano. Danza moderna, non quelle cose sulle punte. Fanno degli spettacoli, dei saggi, ogni tanto, e dato che anche le nostre ragazze talvolta ballano, noi ci andiamo. Dunque abbiamo visto Andre ballare. In un certo senso lì è come in chiesa, cioè è una comunità ritagliata via dal mondo, genitori e nonni, va da sé che si applaude molto. Non c'è nessuna relazione con la vera bellezza, nemmeno lì. Solo, ogni tanto, c'è qualche ragazza che sta là sopra come producendo una forza, come staccando il corpo da terra. Ce ne accorgiamo perfino noi, che non ne capiamo niente. Alle volte è una ragazza anche brutta, con un corpo brutto – non sembra avere importanza la bellezza del corpo. È come stanno, che conta.

A Bobby è venuta in mente Andre perché balla in quel modo lì.

Balla, mica canta.

Chi lo sa, magari canta e noi non lo sappiamo.

Magari canta malissimo.

Chissenefrega, hai visto come sta là sopra?

Ci giriamo intorno, ma la verità è che lei è oltre il confine, lo è come nessun altro della nostra età, e noi sappiamo che se c'è una nostra musica allora dobbiamo andare a cercarla oltre il confine – e tanto vorremmo che a portarci là fosse lei. Non lo ammetteremmo mai, questo è inteso.

Così Bobby le ha telefonato – al terzo tentativo l'ha trovata. Si è presentato con nome e cognome, e la cosa non le ha detto niente. Allora ha aggiunto qualche annotazione che sembrava utile, tipo dov'era il negozio di suo padre, e che lui aveva i capelli rossi. Lei ha capito. Ti volevamo chiedere se cantavi con noi, noi abbiamo una band. Andre disse qualcosa, lo capivamo dal fatto che Bobby stava in silenzio. No, a dir la verità suoniamo solo in chiesa, per adesso. Silenzio. Durante la messa, sì. Silenzio. No, tu non dovresti cantare alla messa, l'idea è di fare una band vera e propria, e di andare a suonare nei locali. Silenzio. Non le canzoni della messa, canzoni fatte da noi. Silenzio.

Noi tre stavamo intorno a Bobby, e lui faceva in continuazione il gesto di lasciarlo in pace, di lasciarlo fare. A un certo punto si mise anche a ridere, ma un po' sforzato. Parlò ancora un po', poi si salutarono – Bobby staccò.

Ha detto di no – disse. Non stette a spiegare.

Eravamo delusi, certo, ma anche ci portammo via una certa euforia, come di gente che avesse ottenuto qualcosa. Non ci sfuggiva che le avevamo parlato. Adesso lei sapeva che noi esistevamo.

Così eravamo di buon umore quando arrivammo a casa di Luca. Era stata un'idea mia. A casa sua non si va mai, non sembra che ai suoi genitori piaccia ricevere visite, il padre odia il disordine – ma forse andarci poteva significare qualcosa, per Luca e per sua madre. Alla fine ci siamo fatti invitare a cena. Di solito loro mangiano in cucina, a un tavolo stretto e lungo che non è neanche un tavolo ma una mensola: così se ne stanno in tre, uno di fianco all'altro, con il muro davanti. Bianco. Ma per l'occasione la madre aveva preparato in sala, che nelle nostre case è una stanza che non c'è: la si tiene di riserva per speciali impennate della vita, non escluse le veglie funebri, peraltro. Comunque fu lì che mangiammo. Il padre di Luca ci accolse con un'allegria *vera*, e quando si sedette a capotavola, mostrandoci i nostri posti, aveva l'aria di un uomo senza condizioni, certo di un suo primato di padre – come fosse il padre di tutti noi, quella sera. Ma quando la minestra fu nei piatti, e lui stringeva già il cucchiaio tra le dita, Il Santo invece giunse le mani davanti a sé e iniziò a dire le parole del ringraziamento – il capo chino. Le disse ad alta voce. Sono parole belle. Dégnati, Signore, di benedire il cibo che la tua bontà ci ha donato e coloro che ce l'hanno preparato. Fa' che ne prendiamo con gioia e semplicità di cuore, e aiutaci a donarne a chi non ne ha. Uno ad uno chinammo il capo e andammo dietro alle sue parole. Amen. Il Santo ha una bella voce, e lineamenti antichi – la barba sottile, unico tra noi. Sul volto magro, già ascetico. Come noi sappiamo, ha una forza dura, quando prega – adulta. Così al padre di Luca dovette sembrare che qualcuno aveva preso il suo posto – di padre. O gli parve di non aver saputo fare quel che volevamo da lui – e che un ragazzino con la faccia da mistico era andato in suo soccorso. Quindi scomparve. Non si udì più la sua voce, per tutta la cena. Finiva i piatti, deglutiva. Non rise mai.

Alla fine ci alzammo tutti a spreparare. È qualcosa che facciamo sempre, da bravi ragazzi, ma io lo feci soprattutto per poter andare in cucina e guardare quel balcone che Luca mi aveva raccontato. In effetti si vedeva la ringhiera, e non era difficile immaginare la schiena di suo padre, china in avanti, i gomiti appoggiati, lo sguardo nel vuoto.

Usciti, non ci parve che fosse andata benissimo. Ma io ero l'unico a sapere, Bobby e Il Santo non ne avevano ancora mai parlato con Luca. Così dicemmo soltanto che quell'uomo era strano. Era strano tutto, in quella casa. Avevamo in mente di non tornarci più.

Che Andre sappia di me – che esisto – l'ho saputo con certezza un pomeriggio che stavo su un sofà, con la mia fidanzata, sotto un plaid rosso – lei mi stava toccando, è il nostro modo di fare sesso. In genere le nostre fidanzate credono al Dio dei Vangeli come noi, e questo significa che arriveranno vergini al matrimonio – benché non si faccia menzione, nei Vangeli, di una procedura del genere. Così il nostro modo di fare sesso è passare ore a toccarci, intanto che parliamo. Non si viene mai. Quasi mai. Noi maschi tocchiamo tutta la pelle che possiamo, e ogni tanto infiliamo la mano sotto le loro gonne, ma non sempre. Loro ci toccano invece subito il sesso, perché siamo noi ad aprirci i pantaloni, e talvolta a toglierceli. Questo accade in case dove genitori fratelli sorelle sono di là, dietro la porta, e chiunque può entrare da un momento all'altro. Dunque facciamo tutto in una precarietà venata di pericolo. Spesso non c'è che una porta semiaperta tra il peccato e il castigo, e questo fa sì che il piacere di toccarsi e la paura di essere scoperti, così come il desiderio e il rimorso, accadano simultaneamente, fusi in un'unica emozione che noi chiamiamo, con splendida precisione, sesso: ne conosciamo ogni sfumatura e ne apprezziamo la splendente derivazione dal complesso di colpa, di cui è una variante tra le altre. Se qualcuno pensa che sia un modo infantile di vedere le cose, non ha capito niente. Il sesso è peccato: pensarlo innocente è una semplificazione cui solo gli infelici si consegnano.

Tuttavia, quel giorno, la casa era vuota, così stavamo facendo le cose con una certa tranquillità, ai limiti della noia. Quando suonò il campanello della porta, la mia fidanzata si tirò giù la maglia e disse È Andre, è venuta a prendere una cosa – alzandosi e andando ad aprire. Sembrava sapere che sarebbe successo. Io rimasi sul sofà, sotto il plaid. Mi risistemai giusto le mutande – i jeans erano per terra, non volevo farmi trovare lì che me li infilavo. Entrarono nella stanza tutt'e due, parlando: la mia fidanzata si rinfilò sotto il plaid e Andre si sedette su una seggiolina da bambini, legno e paglia, che c'era lì: si sedette in quel suo modo perfetto di fare le cose da nulla come sedersi su una seggiolina da bambini di legno e paglia quando c'erano sedie normali dappertutto, nella stanza, e al limite anche il sofà dove eravamo noi, grande. E sedendosi mi disse Ciao, con un sorriso, senza presentazioni o altro. La cosa sublime era che non le importava nulla dei jeans per terra, del plaid, e di quello che evidentemente stavamo facendo noi due lì sotto quando lei era arrivata. Semplicemente si mise a chiacchierare, a pochi metri dalle mie gambe nude, con una tranquillità che sembrava un verdetto – qualsiasi cosa facessimo sotto il plaid era normale. Era la prima volta che qualcuno mi perdonava così rapidamente – con quella leggerezza, quel sorriso.

Parlavano di un loro spettacolo, la mia fidanzata ballava con lei, avevano uno spettacolo da mettere in piedi. Mancavano delle luci, mi parve di capire, delle luci e una corsia di panno grigio lunga dodici metri senza cuciture. Io stavo lì, ma non c'entravo niente, e nessuno mai si rivolgeva a me. Mi sarei anche alzato, a vagolare di là, ma ero in mutande. A un certo punto, parlando, la mia fidanzata iniziò ad accarezzarmi la coscia, sempre sotto il plaid, lentamente, un gesto pulito, non era proprio una carezza, era come un gesto inconsapevole, che volesse tenere acceso qualcosa, tra un prima e un poi. Era difficile capire se c'era della malizia, ma comunque proprio mi toccava, e io pensai bene di lei. Infatti arriveranno vergini al matrimonio, le nostre fidanzate, ma questo non vuol dire che abbiano paura, non ce l'hanno. Mi accarezzava e Andre era lì. Ogni tanto, ma non si capiva se per caso, arrivava a toccare il mio sesso, intrappolato nelle mutande. Lo faceva continuando a parlare di panno e di cuciture, senza proprio cambiare voce, niente. Qualsiasi cosa avesse in mente, il modo era perfetto. Toccava il mio sesso duro, e non faceva una piega. Pensai che dovevo proprio raccontarla a

Bobby, quella storia, non vedevo l'ora di raccontargliela. Stavo pensando alle parole da usare quando Andre si alzò: disse che adesso doveva andare e che allora per il panno avrebbe chiesto in teatro, per le luci le sarebbe venuto in mente qualcosa. Sembrava che avessero risolto. Suonò il telefono, era lì sul tavolino, la mia fidanzata rispose, era sua madre. Alzò gli occhi al cielo, poi mise una mano sulla cornetta e disse Mia madre... Andre allora le sussurrò di telefonare tranquilla, che lei se ne andava. Si salutarono e la mia fidanzata mi fece un cenno con la testa, senza smettere di parlare con sua madre – voleva che accompagnassi Andre e andassi a chiudere la porta. Io mi tolsi il plaid da dosso, mi alzai dal sofà e seguii Andre di là, e poi lungo il corridoio. Arrivata davanti alla porta, lei si fermò e si voltò verso di me, aspettandomi. Io feci ancora qualche passo: non ero mai stato così vicino ad Andre in vita mia, e nemmeno ero mai stato solo con lei, in uno spazio in cui c'eravamo solo noi due. Era ancora meno spazio di quello che era, perché io ero in mutande, e nelle mutande il mio sesso si vedeva lontano un miglio. Lei mi sorrise, aprì la porta, e fece per uscire. Ma poi si voltò, e le vidi una faccia che fino a un istante prima non aveva – quegli occhi spalancati.

La prima frase che Andre mi abbia mai detto è stata Senti, hai mica dei soldi?

Sì, qualcosa.

Me li presti?

Tornai di là a guardare nella tasca dei jeans. La mia fidanzata stava ancora telefonando, le feci un cenno per dire che andava tutto bene. Presi i soldi, non era un granché.

Non è un granché, dissi ad Andre mentre le allungavo quindicimila lire, lì davanti alla porta aperta, con la luce al neon del pianerottolo che si mescolava a quella calda dell'ingresso. Nei nostri pianerottoli ci sono spesso piante spinose che non vedono mai il sole, ma tuttavia vivono, e vengono tenute lì per due scopi, il primo dei quali è ingentilire il pianerottolo stesso. Il secondo è testimoniare un'ostinazione tutta particolare del vivere, un eroismo silenzioso da cui dovremmo imparare qualcosa ogni volta che usciamo da casa. Nessuno le bagna mai, apparentemente.

Sei gentile, mi disse Andre. Te li restituisco.

Mi sfiorò la guancia con un bacio. Per farlo dovette avvicinarsi un po', e la sua borsa andò a premere sulle mie mutande, era proprio a quell'altezza.

Poi se ne andò. Aveva come una specie di febbre, adesso.

La prima volta che vidi Bobby gli raccontai tutto, largheggiando un po' su quella storia della carezza sotto il plaid, venne fuori che mi aveva fatto addirittura una sega. Lui allora disse che se l'erano sicuramente studiata, era tutto combinato, era uno di quei giochi che faceva Andre, c'era da non crederci che la mia fidanzata avesse accettato, non dovresti sottovalutarla, quella ragazza, disse. Io sapevo che non era andata precisamente così, ma questo non mi impedì per un certo periodo di girare per il mondo come uno che aveva una fidanzata capace di immaginare storie di quel tipo, e di organizzarle. È durata un po' di tempo, poi mi è passata. Ma durante quel tempo sono stato diverso, con lei – e lei differente con me. Finché ci siamo spaventati, a un certo punto – tutto è tornato normale.

Così passa Andre, talvolta.

Invece, volendo proprio parlare del Santo, sua madre si è messa in testa di parlare con noi, gli amici di suo figlio, e allora ha organizzato per bene la cosa, lei l'ha proprio organizzata – voleva parlarci una volta che Il Santo non c'era. Bobby è riuscito a svignarsela, ma non io, né Luca – ci siamo ritrovati lì, soli, con quella madre.

È una signora rotonda, che si cura, non l'abbiamo mai vista senza trucco o con le scarpe sbagliate. Anche lì, a casa sua, era tutta a posto, splendente, sebbene in modo domestico, inoffensivo. Voleva parlare del Santo. La prese un po' larga, ma poi ci chiese cosa sapevamo di quella storia del prete – che suo figlio pensava di fare il prete, da grande, o magari anche subito. Lo chiese allegramente, per farci capire che voleva solo sapere qualcosa di più, non dovevamo prenderla come una domanda rischiosa. Io dissi che non sapevo. Luca disse che non aveva idea. Allora lei aspettò un po'. Poi riprese con una voce diversa, più certa, rimettendo le cose a posto, adesso era finalmente un adulto che parlava con due ragazzini. Ci trovammo costretti a dire cosa sapevamo.

Il Santo ha un modo maledettamente serio di prendere qualunque cosa.

Lei fece cenno di sì con la testa.

Alle volte è difficile capirlo, e lui non si spiega mai, non gli piace spiegarsi, disse Luca.

Ne parlate mai, fra voi?

Parlarne no.

E allora?

Voleva sapere. Quella madre voleva che le dicessimo che noi pregavamo, invece Il Santo bruciava nella preghiera, e aveva nelle gambe un modo di inginocchiarsi come uno schianto, quando noi semplicemente cambiavamo posizione – lui *cadeva* in ginocchio. Voleva sapere perché suo figlio passava ore con poveri, malati e delinquenti, diventando uno di loro, fino a dimenticare la prudenza del decoro, e la misura della carità. Si aspettava di capire cosa facesse tutto quel tempo attaccato ai libri, e se anche noi abbassavamo la testa a ogni rimprovero, ed eravamo incapaci di rivolta, e di parole tese. Aveva bisogno di capire meglio chi erano tutti quei preti, le lettere che gli scrivevano, le telefonate. Voleva sapere se allora gli altri ridevano di lui, e come lo guardavano le ragazze, se con rispetto – la distanza fra lui e il mondo. Quella donna ci stava chiedendo se era possibile alla nostra età pensare di donare la propria vita a Dio, e ai suoi sacerdoti.

Se era solo quello, potevamo rispondere.

Sì.

E come può venirvi in mente?

Luca sorrise. È una domanda strana, le disse, perché non sembrava che stesse a cuore altro, intorno a noi, che inclinarci a quella follia, come verso una luce. Che sorpresa era scoprire adesso quanto nel profondo fossero scese le loro parole, e ogni lezione, da quando eravamo bambini, nessuna inascoltata? Dovrebbe essere una buona novella, disse.

Non lo è, per me, disse quella donna. Disse che anche ci avevano insegnato la misura, e anzi l'avevano fatto prima di ogni altra cosa, sapendo che così ci avrebbero consegnato l'antidoto a qualsiasi insegnamento successivo.

Ma non c'è misura nell'amore, disse Luca, in un modo che quasi non sembrava lui. Nell'amore e nel dolore, aggiunse.

La donna lo guardò. Poi guardò me. Dovette chiedersi se non erano tutti ciechi di fronte al nostro mistero, ogni padre e ogni madre, accecati dalla nostra giovinezza apparente. Poi ci chiese se a noi era mai venuto in mente, di diventare preti.

No.

E perché, allora?

Vuole dire perché Il Santo sì e noi no?

Perché mio figlio sì?

Perché lui vuole salvarsi, dissi io, e lei sa da cosa.

Non l'avrei voluto dire, eppure lo dissi, perché quella donna ci aveva portato lì per sentirsi dire questa precisa frase, e adesso io l'avevo detta.

Ci sono altri modi per salvarsi, disse lei senza spaventarsi.

Può darsi. Ma quello è il migliore.

Credi?

Lo so, dissi. I preti si salvano, sono costretti a farlo, ogni momento del loro vivere li salva, perché in ogni momento non vivono, così la catastrofe non può scoccare.

Quale catastrofe?, chiese lei. Non si voleva fermare.

Quella che Il Santo si porta addosso, dissi.

Luca mi guardò. Voleva capire se mi sarei fermato.

Quella catastrofe che fa paura, aggiunsi, per essere sicuro che lei potesse capire bene.

La donna mi stava fissando. Stava cercando di scoprire quanto ne sapessi, e fin dove conoscevamo suo figlio. Almeno quanto lo conosceva lei, probabilmente. Il lato oscuro del Santo è sulla superficie dei gesti, nei passaggi segreti che scava alla luce del sole, la sua rovina è trasparente, se ne fa piegare senza troppa riservatezza, chiunque gli stia accanto può capire che è una catastrofe, e forse addirittura quale.

Voi sapete dove va, quando sparisce?, chiese la donna, ferma.

Alle volte sparisce, Il Santo, questo è indubbio. Giorni e notti, poi torna. Lo sappiamo. Sappiamo anche qualcosa di più, ma questo è anche vita nostra, la donna non c'entrava.

Col capo facemmo segno di no. Una smorfia, ancora, per ribadire che no, non lo sapevamo dove andasse.

La donna capì. Lo disse in altro modo, allora.

Voi non lo potete aiutare? sussurrò. Era una preghiera, più che una domanda.

Stiamo con lui, ci piace, starà con noi sempre, disse Luca. Non ci fa paura. Non abbiamo paura.

Allora alla donna si riempirono gli occhi di lacrime, forse per il ricordo di come intransigente possa essere l'istinto dell'amicizia, e infinito, alla nostra età.

Nessuno disse più niente, per un po'. Sarebbe potuta finire lì.

Tuttavia lei dovette pensare che non doveva avere paura, se non ne avevamo noi.

Così, mentre ancora piangeva, ma appena appena, disse:

È quella storia dei demoni. Sono i preti che gliel'hanno messa in testa.

Non pensavamo che si sarebbe spinta così in là, ma ebbe il coraggio di farlo – perché nell'abisso delle nostre madri, inavvertita, sempre cova un'audacia incomparabile. La conservano, dormiente, tra i gesti prudenti di una vita intera, per poterne disporre pienamente il giorno a cui si sospettano destinate. Lo spenderanno ai piedi di una croce.

I demoni me lo stanno portando via, disse.

In certo modo era vero. Per come la vediamo noi, quella dei demoni è in effetti una storia che viene dai preti, ma anche c'è qualcosa che da sempre fa parte del Santo, con la forza dell'origine, ed era lì prima che i preti le dessero quel nome. Nessuno di noi ha quella sensibilità per il male – una specie di morbosa attrazione, atterrita – ma in quanto atterrita sempre più morbosa, inevitabile – come nessuno di noi ha la stessa vocazione del Santo per la bontà, il sacrificio, la mitezza – che di quel terrore sono la conseguenza. Forse non ci sarebbe bisogno di scomodare il demonio, ma nel nostro mondo ogni santità è strettamente intrecciata a un'indicibile consuetudine col maligno, come i Vangeli testimoniano nell'episodio delle tentazioni, e come tramandano le vite, torbide, dei mistici. Così si parla di demoni, senza la prudenza che invece si dovrebbe avere, nel parlare di demoni. E al cospetto di anime chiare come le nostre – di ragazzi. Non hanno pietà alcuna, in questo, i preti. Né prudenza.

Il Santo lo hanno sventrato, con quelle storie.

Quel che possiamo fare noi, lo facciamo. Diamo leggerezza al nostro stare con lui, e lo seguiamo ovunque, nelle curve del bene, e in quelle del male – fino a dove riusciamo, nelle une come nelle altre. Non lo facciamo solo per compassione amica, ma anche per fascinazione vera, attratti da quello che lui sa, e compie. Discepoli, fratelli. Nella luce della sua santità bambina impariamo cose, e questo è un privilegio. Quando si affacciano i demoni, resistiamo gli occhi alti, quanto possiamo. Poi lo lasciamo andare, e lo aspettiamo tornare. Il terrore lo dimentichiamo, e siamo capaci di giorni normali, con lui, dopo qualsiasi ieri. Neanche ci pensiamo tanto, e se proprio quella donna non ci avesse costretto a farlo, quasi non ci pensiamo mai. In realtà non avrei dovuto nemmeno parlarne.

La donna raccontò di cosa succedeva in casa, alle volte, di spaventoso, ma già non la stavamo più ad ascoltare. Aveva nel cuore l'ingombro di tante sofferenze, e adesso se ne liberava, spiegandoci cosa significasse che i demoni le stavano portando via suo figlio. Non era cosa per noi. Solo tornammo ad ascoltare quando sentimmo il nome di Andre, trascinato dalla corrente delle parole – ci indispettì una domanda che risuonò inutilmente nitida, lì in mezzo.

Perché mio figlio è ossessionato da quella ragazza?

Non eravamo più lì.

La donna capì.

Alla fine mise sul tavolo una torta, era ancora tiepida, e una bottiglia di Coca-Cola, già iniziata. Volle parlare di cose normali, e lo fece con garbo. Era così diretta, e semplice, che a Luca passò per la testa di raccontarle della sua famiglia, ma non la verità – piccole cose da famiglia normale, felice. Forse pensava che anche lei sapesse, e ci teneva a dirle che in realtà andava tutto bene. Non so.

Siete dei bravi ragazzi, disse a un certo punto la madre del Santo.

Naturalmente andiamo a scuola, ogni giorno. Ma quella è una storia di avvilente degrado, e inutili vessazioni. Non ha nulla a che vedere con quanto ci sentiamo di definire *vita*.

Quando Andre si è tagliata i capelli in quel modo, allora l'hanno fatto anche le altre. Tagliati corti sulla fronte e intorno alle orecchie. Poi lunghi come prima, altrove, indiano d'America. Ha fatto da sola, davanti allo specchio.

Una l'ha seguita, poi tutte le altre – le ragazze intorno. Tre, quattro. Un giorno, la mia fidanzata.

Si muovono diverse, da allora – più selvatiche. Dure nel parlare, quando se ne ricordano, e con una nuova fierezza. È divenuto visibile quel che già da tempo durava, invisibile, sotto i comportamenti – che tutte vivono aspettando di sapere da Andre come farlo. Senza ammetterlo – accade anzi che la disprezzino, a tratti. Ma soccombono – seppur in un apparente giocare.

Anche la magrezza. Che Andre ha scelto, a un certo punto, come premessa naturale e definitiva. Neanche la pena di discuterne, è chiaro che deve essere così. Non sembrano esserci medici all'orizzonte capaci di pronunciare la parola denutrizione – così i corpi scivolano via senza allarme né preoccupazione, solo sorpresa. Mangiano quando nessuno le vede. Vomitano in segreto. I gesti che erano assolutamente semplici diventano oscuri, complicandosi come mai avremmo creduto, e come la giovinezza non dovrebbe prevedere.

Non ne deriva una tristezza, tuttavia, ma piuttosto una metamorfosi che le rende forti. Non ci sfugge che adesso portano diversamente il corpo, come ne avessero preso coscienza d'improvviso, o ne avessero accettato la proprietà. Poiché sono divenute capaci di costringerlo, se ne liberano con una leggerezza ai limiti dell'incuria. Stanno cominciando a scoprire come lo si possa abbandonare al caso. Appoggiarlo in mani altrui, e poi andare a riprenderselo.

Tutto questo viene da Andre, è chiaro, ma anche va detto che da lei deriva in modo quasi impercettibile, perché di fatto tra loro parlano pochissimo, e mai le vedi muoversi in gruppo, o stare fisicamente vicine – non sono, propriamente, amiche, nessuno è *amico* di Andre. È un contagio silenzioso, e alimentato dalla distanza. È un sortilegio. La mia fidanzata, ad esempio, vede Andre per quel suo ballare con lei, ma per il resto abita un altro mondo, e diverse latitudini. Quando le accade pronuncia il nome di Andre con un accento di superiorità, come se ne conoscesse il trucco, o ne compiangesse la sorte.

Eppure.

Io e lei abbiamo un gioco segreto – ci scriviamo di nascosto da noi stessi. Parallelamente a quello che diciamo e viviamo insieme, ci scriviamo, come se fossimo noi due, ma una seconda volta. Di quel che scriviamo in quelle lettere – bigliettini – non parliamo mai. È lì che ci diciamo, tuttavia, le cose vere. Tecnicamente usiamo un sistema di cui andiamo fieri – l'ho inventato io. Ci lasciamo i bigliettini pizzicati in una finestra della scuola, una finestra dove nessuno va. Li pizzichiamo tra il vetro e l'alluminio. La probabilità che qualcun altro li legga è abbastanza bassa, quel tanto che serve a dare un tocco di tensione alla faccenda. Li scriviamo in stampatello, comunque, potrebbero essere di chiunque.

Un po' di tempo dopo quella faccenda dei capelli, ho trovato un biglietto che diceva così.

"Ieri sera con Andre dopo danza, siamo andate a casa sua, c'era altra gente. Ho bevuto tanto, scusa amore mio. A un certo punto ero sdraiata sul suo letto. Dimmi se vuoi che continuo."

Voglio, ho risposto.

"Andre e un altro mi hanno tirato su il maglione. Ridevamo. Io con gli occhi chiusi stavo bene, mi hanno toccata, e baciata. Dopo ancora altre mani che non so, mi toccavano le tette, non ho mai aperto gli occhi, era bello. Ho sentito una mano sotto la gonna, tra le gambe, allora mi sono alzata, non volevo. Ho aperto gli occhi, c'erano altri, sul letto. Non ho voluto che mi toccassero tra le gambe. Ti amo tanto amore mio. Perdonami amore mio."

Poi non ne abbiamo parlato, mai. Quello che è detto nella seconda volta, non esiste nella prima – diversamente il gioco è rotto per sempre. Ma mi rigirava nella testa, quella storia, e così una sera me ne sono uscito con una frase che da un po' covavo dentro.

Andre si è uccisa, tempo fa, lo sai?

Lo sapeva.

Continuerà a uccidersi fino a quando non avrà finito, le dissi.

Volevo anche parlare del cibo, del corpo, del sesso.

Ma lei disse Forse si muore in tanti modi, e ogni tanto mi chiedo se anche noi non lo stiamo facendo, senza saperlo. Lei almeno lo sa.

Noi non stiamo morendo, dissi.

Non ne sono sicura. Luca sta morendo.

Non è vero.

E Il Santo, anche lui.

Ma cosa dici?

Non lo so. Scusa.

Lo diceva ma non lo sapeva neanche lei, era poco più che un'intuizione, un bagliore. È che procediamo per lampi, il resto è oscurità. Una tersa oscurità piena di luce, buia.

Nei Vangeli c'è un episodio che amiamo molto, come il nome che porta, Emmaus. Qualche giorno dopo la morte di Cristo, due uomini camminano per la strada che conduce alla cittadina di Emmaus, discutendo di ciò che è successo sul Calvario, e di alcune voci, strane, di sepolcri aperti e tombe vuote. Si avvicina un terzo uomo e domanda loro di cosa stanno parlando. Allora i due gli dicono: Come, non sai nulla delle cose accadute a Gerusalemme?

Quali cose? lui chiede, e si fa raccontare. I due gli raccontano. La morte del Cristo e ogni cosa. Lui ascolta.

Più tardi fa per andarsene, ma i due gli dicono: È tardi, resta con noi, è già sera. Possiamo mangiare insieme e continuare a parlare. E lui resta con loro.

Durante la cena, l'uomo spezza il pane, con tranquillità, con naturalezza. Allora i due capiscono, e riconoscono in lui il Messia. Lui sparisce.

Rimasti soli, i due si dicono: Come abbiamo potuto non capire? Per tutto il tempo che è stato con noi, il Messia era con noi, e noi non ce ne siamo accorti.

Ci piace la linearità – quanto è semplice la storia. E come tutto è reale, senza fronzoli. Non fanno che gesti elementari, necessari, tanto che alla fine il disparire del Cristo sembra un fare scontato, quasi una consuetudine. Ci piace la linearità, ma non basterebbe a farci amare così tanto quella storia, che invece amiamo così tanto, ma per un'altra ragione ancora, questa: in tutta la storia, ognuno non sa. All'inizio Gesù stesso sembra non sapere di sé, e della sua morte. Poi loro non sanno di lui, e della sua resurrezione. Alla fine si chiedono: come abbiamo potuto?

Noi conosciamo quella domanda.

Come abbiamo potuto non sapere, per così tanto tempo, nulla di ciò che era, e tuttavia sederci alla tavola di ogni cosa e persona incontrata sul cammino? Cuori piccoli – li nutriamo di grandi illusioni, e al termine del processo camminiamo come discepoli a Emmaus, ciechi, al fianco di amici e amori che non riconosciamo – fidandoci di un Dio che non sa più di se stesso. Per questo conosciamo l'avvio delle cose e poi ne riceviamo la fine, mancando sempre il loro cuore. Siamo aurora ma epilogo – perenne scoperta tardiva.

Ci sarà forse un gesto che ci farà capire. Ma per adesso, noi viviamo, tutti. L'ho spiegato alla mia fidanzata. Voglio che tu sappia che Andre muore e noi viviamo, tutto qui, non c'è altro da capire, per adesso.

Ma anche siamo saldi, e di una forza illogica per la nostra età. Ce la insegnano insieme alla fede, che è fenomeno evanescente ma pietra dura, diamante. Andiamo per il mondo portando una certezza in cui si scioglie ogni nostra timidezza, fino a condurci oltre alla soglia del ridicolo. Spesso non c'è difesa, per la gente, perché noi ci muoviamo senza pudore, e non resta che accettare senza capire, disarmati dal nostro candore.

Facciamo cose pazzesche.

Siamo andati, un giorno, dalla madre di Andre.

Era un po' che Il Santo aveva quell'idea. Dal giorno del pompino in macchina, e poi dopo, per altre cose successe. Credo che avesse in mente di salvare Andre, in qualche modo. Il modo che conosceva era convincerla a parlare con un prete.

Era un'idea senza senso, ma poi ci fu quella storia dei capelli, e il bigliettino della mia ragazza – la magrezza, poi. Non riuscivo a starmene fermo, ed è tipico del nostro modo di fare prenderla alla larga e farne una questione di salvezza o perdizione, una cosa grossa. Non ci passa nemmeno per la testa che sia tutto più semplice – ferite normali da risanare con gesti naturali, tipo incazzarsi, o fare cose spregevoli. Non conosciamo simili scorciatoie.

Così a un certo punto mi sembrò ragionevole andare. Abbiamo schemi infantili – se un bambino è cattivo lo si comunica alla madre.

L'ho detto al Santo. Siamo andati. Non abbiamo il senso del ridicolo. Non l'hanno mai avuto, gli eletti.

La madre di Andre è una donna magnifica, ma di una bellezza per cui non abbiamo simpatia, né predisposizione. Era seduta su un sofà enorme, nella casa che hanno, ricca.

L'avevamo vista altre volte, passare soltanto, luminosa nella sua scia di elegante apparizione, sotto grandi occhiali scuri. Borse di boutique al braccio piegato a V, come le francesi nei film. Portano la mano in alto e lì rimane, il palmo all'insù, dischiuso, ad aspettare che qualcuno vi depositi un oggetto delicato, forse un frutto.

Dal sofà ci guardava, e non posso dimenticare il rispetto che all'inizio fu capace di avere per noi – neanche sapeva chi eravamo, e tutto doveva sembrarle surreale. Ma come ho detto la vita l'aveva spezzata, e probabilmente da tempo non temeva più l'infiltrarsi dell'assurdo nella geometria del buon senso. Teneva gli occhi un po' sgranati, forse per le medicine, come in uno sforzo deliberato di non chiuderli. Eravamo lì per dirle che sua figlia era perduta.

Ma Il Santo ha una voce bella, da predicatore. Per quanto fosse pazzesco quello che aveva da dire lo disse in un modo che suonò pulito, senza ombra di ridicolo, e forte di una qualche dignità. Il candore era stupefacente.

La donna ascoltava. Accendeva sigarette col filtro dorato, le fumava a metà. Non era facile capire cosa pensasse perché non c'era altro, sul suo volto, che quello sforzo di non chiudere gli occhi. Ogni tanto accavallava le gambe, che portava come una decorazione.

Il Santo riuscì a dire tutto senza nominare niente, e perfino *Andre* non lo disse mai, ma solo *Sua figlia*. In quel modo riepilogò tutto quello che sapevamo, e si chiese se era davvero questo che voleva, quella donna, per sua figlia, che si disperdesse nel peccato, nonostante i talenti e la meraviglia, solo per non averle saputo indicare la strada impervia dell'innocenza. Perché allora noi proprio non lo potevamo capire, ed ecco perché eravamo venuti da lei – per dirglielo.

Eravamo due ragazzini e, finiti i compiti, avevamo preso un autobus per raggiungere quella bella casa con il preciso intento di spiegare a un adulto come il suo modo di vivere e di essere genitore stesse portando alla rovina una ragazza che appena conoscevamo e che si sarebbe perduta trascinando con sé tutte le anime deboli che avrebbe incontrato sul suo cammino.

Avrebbe dovuto sbatterci fuori. Ci sarebbe piaciuto. Martiri.

Invece fece una domanda.

Secondo voi, cosa dovrei fare?

A me sembrò stupefacente. Ma non al Santo, che stava seguendo il filo dei suoi pensieri.

La faccia venire in chiesa, disse.

Dovrebbe confessarsi, aggiunse.

Era così spaventosamente convinto che neppure io dubitai fosse la cosa giusta da dire in quel momento. La follia dei santi.

Le raccontò allora di noi, senza arroganza, ma con una sicurezza che era una lama. Voleva che sapesse perché credevamo, e in cosa. Aveva da dirle che c'era un altro modo di stare al mondo, e noi credevamo che quella fosse la via, la verità e la vita. Disse che senza la vertigine dei cieli non rimane che la terra, poca cosa. Disse che ogni uomo porta con sé la speranza in un senso più alto e nobile delle cose, e a noi avevano insegnato che quella speranza diveniva certezza nella luce piena della rivelazione, e compito quotidiano nella penombra della nostra vita. Così lavoriamo all'instaurazione del Regno, disse, che non è una missione misteriosa ma la costruzione paziente di una terra promessa, l'omaggio incondizionato ai nostri sogni, e la soddisfazione perenne di qualsiasi nostro desiderio.

Per questo ogni meraviglia non deve cadere invano, perché è una pietra del Regno, capisce?

Stava parlando della meraviglia di Andre.

Una pietra angolare, disse.

Poi tacque.

La donna era rimasta ad ascoltarlo senza cambiare mai il modo, solo tagliando qualche sguardo veloce verso di me, ma per cortesia, non perché si aspettasse che dicessi la mia. Se pensava qualcosa era brava a nasconderlo. Sembrava non le facesse nessuna impressione il lasciarsi umiliare così, da un ragazzino per giunta – aveva lasciato che lui le ricapitolasse il suo nulla, quello di sua figlia. Senza tradire risentimento, neppure noia. Quando aprì la bocca, c'era solo cortesia, nel tono.

Hai detto che dovrebbe andare a confessarsi, disse.

Sembrava essere rimasta là, prima di tutto il discorso. Quella cosa la incuriosiva.

Sì, rispose Il Santo.

E perché dovrebbe farlo?

Per fare pace con se stessa. E con Dio.

È per quello che ci si confessa?

Per cancellare i nostri peccati, e trovare la pace.

Allora lei fece sì, con un cenno della testa. Come di cosa che poteva capire.

Poi si alzò.

Doveva esserci un modo per far terminare tutto quello, e il più semplice era ringraziarci, chiudere la porta dietro di noi, dimenticare. Sorriderne, poi. Ma quella donna aveva del tempo, e da tempo doveva aver smesso di essere arrendevole. Così rimase in silenzio, in piedi, come sull'orlo di un commiato, ma poi si risedette, nella stessa esatta posizione di prima ma diverso lo sguardo, di una durezza che aveva tenuto in serbo, e disse che ricordava bene l'ultima volta che si era confessata, ricordava quando si era raccolta in confessione per l'ultima volta. Era in una chiesa molto bella, di pietra chiara, dove ogni proporzione e simmetria inclinava alla pace. Le era sembrato naturale allora cercare un confessore, benché non avesse alcuna consuetudine col gesto, né fiducia nei sacramenti – in quello, poi. Ma le era sembrata la cosa giusta da fare, a completamento di quella inconsueta bellezza. Vidi un monaco, ci disse. La veste bianca, le maniche ampie, su polsi sottili, mani pallide. Non c'era confessionale, il monaco era seduto, lei si sedette di fronte, si vergognava del suo abito troppo corto, ma se ne dimenticò alle prime parole, che furono del monaco. Le chiese cosa pesava sulla sua anima. Lei rispose senza pensarci, disse che era incapace di essere grata alla vita e questo era il più grande dei peccati. Ero calma, ci disse, ma la mia voce non ne voleva sapere della mia calma, pareva vedere un baratro che io non vedevo, così tremava. Dissi che quello era il primo peccato, e anche l'ultimo. Ogni cosa era meravigliosa nella mia vita, ma io non sapevo essere grata, e mi vergognavo della mia felicità. Se non è felicità, dissi al monaco, è quanto meno gioia, o fortuna, dispensata come a poche altre persone è concesso, ma a me sì, senza che però io riesca mai a tradurla in una pace qualsiasi dell'anima. Il monaco non disse nulla, ma poi volle sapere da lei se pregava. Era più giovane di lei, il cranio completamente rasato, un sottile accento straniero. Non prego, gli dissi, non vado in chiesa, voglio raccontarle la mia vita, gliela raccontai, qualcosa. Ma non di questo mi pento, dissi alla fine. È della mia infelicità che vorrei pentirmi. Non aveva senso, ma stavo piangendo. Allora il monaco si piegò verso di me e disse che non dovevo avere paura. Non sorrideva, non era paterno, non era nulla. Era una voce. Disse che non dovevo avere paura, e poi molte altre cose che non ricordo, ricordo la voce. E il gesto alla fine. Le due mani avvicinate al mio volto, e una che poi mi sfiora la fronte e disegna il segno della croce. Appena.

Per tutto il racconto la madre di Andre aveva tenuto gli occhi in basso, fissi per terra. Cercava le parole. Ma poi volle guardarci, per quello che ancora aveva da dire.

Tornai il giorno dopo a cercarlo. Niente confessione, una lunga passeggiata. Poi tornai ancora, e ancora. Non potevo farne a meno. Tornai anche quando iniziò a chiedermi lui di tornare. Era tutto lentissimo. Ma ogni volta si consumava qualcosa. La prima volta che ci baciammo fui io a volerlo. Tutto il resto lo volle lui.

Avrei potuto fermarmi in qualsiasi istante, non lo amavo così tanto, avrei potuto farlo. Ma invece lo accompagnai fino in fondo, perché era inusuale, era lo spettacolo di una perdizione. Volevo vedere fino a dove possono fare l'amore gli uomini di Dio. Così non lo salvai. Non trovai mai una ragione buona per salvarlo da me. Si è ammazzato otto anni fa. Mi ha lasciato un biglietto. Ricordo solo che parlava del peso della croce, ma in un modo incomprensibile.

Ci guardò. Aveva ancora una cosa da dire ed era proprio per noi.

Andre è sua figlia, disse. Lei lo sa.

Fece una piccola, perfida, pausa.

Immagino che anche Dio lo sappia, aggiunse. Perché non ha lesinato sul castigo.

Ma non il suo sguardo mi colpì, quello del Santo invece, che conoscevo, aveva a che fare con i demoni. Sembra un cieco, in quei momenti, perché vede tutto ma altrove – dentro di sé. Bisognava andarsene da lì. Mi alzai e trovai le parole giuste per svelenire l'improvvisa fretta – non sembrava fossi andato lì per altro, doveva essere quello che sapevo fare. La madre di Andre fu impeccabile, riuscì anche a ringraziarci, senza ombra di ironia. Ci salutò stringendoci la mano. Prima di uscire feci in tempo a vedere appoggiato alla parete, nell'ingresso, qualcosa che non doveva assolutamente stare lì, ma che indubbiamente era il basso di Bobby. Lui suona il basso, nella nostra band – il suo basso è nero brillante, con una decalcomania di Gandhi appiccicata sopra. Adesso stava lì, a casa di Andre.

Che potevamo tornare quando volevamo, disse la madre di Andre.

Cosa diavolo ci fa il tuo basso a casa di Andre? – neanche aspettammo il giorno dopo per andarglielo a chiedere. In parrocchia, la sera, cascava a proposito una riunione del gruppo di preghiera, eravamo tutti lì, solo Luca non c'era, le solite storie a casa.

Bobby si fece rosso, quella proprio non se l'aspettava. Disse che suonava con Andre.

Suoni? E cosa?

Il basso, disse.

Già provava a metterla sul ridere. È fatto così.

Non dire stronzate, cosa suoni con lei?

Niente, è per un suo spettacolo.

Tu suoni con noi, Bobby.

E allora?

E allora se ti metti a suonare con qualcun altro ce lo devi dire.

Ve l'avrei detto.

Quando?

Lì si capì che se l'era presa.

Ma che cazzo volete da me?, non vi ho mica sposato.

Fece un passo avanti.

Perché piuttosto non mi dite cosa ci facevate *voi*, lì, e cos'è questa storia che andate a casa sua?

Aveva ragione a domandare. Gli spiegai. Dissi che eravamo andati Il Santo ed io, a parlare con la madre di Andre. Volevamo dirle di sua figlia, che avrebbe dovuto fare qualcosa, stava rovinando se stessa e le sue amiche.

Siete andati dalla madre di Andre a dirle queste cose?

Io aggiunsi che Il Santo le aveva spiegato di noi, della Chiesa, e di cosa pensavamo di tutta quella storia. Le aveva consigliato di portare Andre a confessarsi, a parlare con un prete.

Andre? A confessarsi?

Sì.

Ma voi siete pazzi, vi ha dato di volta il cervello.

Era la cosa giusta da fare, dissi.

La cosa giusta? Ma ti senti? Ma cosa vuoi capire, tu, di Andre, quella è sua madre, lo saprà bene lei cosa deve fare.

Non è detto.

È una donna adulta, tu sei un ragazzino.

Non vuol dire.

Un ragazzino. Ma chi ti credi di essere per andare a farle la lezione?

È il Signore che parla, con la nostra voce, disse Il Santo.

Bobby si voltò a guardarlo. Ma non si accorse dello sguardo da cieco. Era troppo incazzato.

Non sei ancora un prete, Il Santo, sei un ragazzino, quando sarai un prete allora torni e ti lasciamo fare la tua predica.

Il Santo gli saltò addosso, ha un'agilità infernale,

in quei momenti. Finirono per terra, se le davano proprio. Era successo tutto così in fretta che io stavo giusto a guardare. Facevano tutto in un silenzio illogico, concentrati, le mani in faccia. Dure, intorno al collo. Poi Il Santo sbatté forte con la testa, per terra, e Bobby se lo ritrovò afflosciato tra le braccia. Avevano sangue tutt'e due, addosso.

Così siamo finiti al pronto soccorso. Ci hanno chiesto cos'era successo, ci siamo menati, ha detto Bobby. Una storia di ragazze. Il medico ha annuito, non gli importava. Li portò tutt'e due dietro una porta a vetri, Il Santo sulla barella, Bobby sulle sue gambe.

Seduto nel corridoio, aspettavo, da solo, sotto un manifesto dell'Avis – quei pullman in cui si va a donare il sangue. Ci accompagnavo mio padre, da piccolo. Erano posteggiati in piazza. Mio padre si toglieva la giacca e si arrotolava la manica della camicia. Era evidentemente un eroe. Alla fine gli davano un bicchiere di vino e lui mi lasciava bagnare le labbra. Ho diciotto anni e già la felicità ha il sapore della memoria.

Uscì Bobby, due cerotti in faccia, niente di complicato, una mano fasciata. Si sedette accanto. Era tardi. Non c'era bisogno di dire che ci volevamo bene, ma gli diedi una spallata, così non potevamo sbagliarci. Sorrise.

Cosa suoni con Andre?, gli chiesi.

Lei balla, io suono. Me l'ha chiesto lei. È per uno spettacolo. Vuole fare uno spettacolo, di quella roba.

E com'è?

Non lo so. Non c'entra con quello che facciamo noi. Non vuol dir niente.

Sarebbe?

Sarebbe che non vuol dire niente, quel che facciamo non significa niente, non c'è una storia, o un'idea, niente. Lei balla, io suono, è tutto lì.

Rimase un po' a pensare. Io cercavo di immaginare.

Per cui non è un gesto buono, disse, è un gesto e basta. Non c'entra col fare qualcosa di buono.

Disse che c'entrava col fare qualcosa *di bello*.

Faticava a spiegare, e io a capire, perché noi siamo cattolici e non siamo abituati a distinguere tra il valore estetico e il valore morale. È come per il sesso. Ci hanno insegnato che si fa l'amore per comunicare, e per condividere la gioia. Si suona per le stesse ragioni. Il piacere non c'entra, è una risonanza, un riverbero. La bellezza è giusto un accidente, necessario solo in dosi minime.

Bobby disse che *si vergognava* di suonare in quel modo, quando lo faceva, in casa di Andre, gli sembrava di essere nudo, e questo l'aveva fatto pensare.

Sai quando parliamo della *nostra* musica?, disse.

Sì.

Che dovremmo deciderci a suonare la *nostra* musica?

Sì.

Dato che non c'è nessuno scopo, solo io che suono, e lei che balla, non c'è una vera ragione per farlo, se non che lo vogliamo fare, che ci piace farlo. Siamo noi, la ragione. Alla fine il mondo non è migliore, non abbiamo convinto nessuno, non abbiamo fatto capire nulla a nessuno – alla fine ci siamo noi, come all'inizio, ma veri. E dietro, una scia – qualcosa che rimane, di *vero*.

Ce l'aveva con questa cosa del vero.

Forse è quella cosa lì, suonare la *mia* musica, disse.

Non lo seguivo più tanto.

Detta così, sa di palla colossale, lo sai?, dissi.

Lo è, disse. Ma a Andre non importa, anzi, sembra che le dia fastidio tutto quello che può diventare *emozionante*. Lo ha voluto lei il basso, proprio perché è il minimo della vita. E balla nello stesso modo. Ogni volta che potrebbe diventare emozionante, lei si ferma. Si ferma sempre un passo prima.

Lo guardavo.

Ogni tanto, disse, mi riesce qualcosa che mi sembra bello, forte, e allora lei si volta verso di me, senza smettere di ballare, come se avesse sentito una stonatura. Non le frega niente che sia bello in quel modo lì. Non è quello che cerca.

Sorrisi. Ci sei andato a letto?, chiesi.

Bobby si mise a ridere.

Stronzo, disse.

Dai, ci sei andato a letto.

Guarda che non capisci proprio un cazzo tu, eh?

Sì, ci sei andato.

Lui si alzò. Fece qualche passo nel corridoio. C'eravamo solo noi. Continuò a camminare avanti e indietro fino a che pensò chiusa quella storia.

Luca?, chiese.

Gli ho telefonato. Forse arriva, aveva problemi a casa.

Dovrebbe andarsene via da lì.
Ha diciott'anni, a diciott'anni non si va via di casa.
Chi l'ha detto?
Ma fa' il piacere...
Se lo stanno cuocendo a fuoco lento, là dentro. Ci viene in ospedale, dalle larve?
Le chiamiamo le larve, i malati dell'ospedale.
Sì. Sei tu che non ci vieni più.
Si sedette. La prossima settimana vengo.
L'hai detto anche la settimana scorsa.
Fece cenno di sì col capo. Non so, non ne ho più voglia.
Nessuno ne ha voglia, è che loro stanno là ad aspettare. Li lasciamo naufragare nel loro piscio?
Stette un po' a pensare.
Perché no, disse.
Ma vaffanculo.
Ridevamo.
Poi arrivarono i genitori del Santo. Non stettero a chiedere troppo, giusto come stava Bobby, e quando Il Santo sarebbe uscito. Avevano smesso da un po' di cercare di capire, si limitavano ad aspettare le conseguenze e a rimettere in ordine, ogni volta. Così erano venuti a rassettare, e sembravano intenzionati a farlo con garbo, senza disturbare. Il padre si era portato da leggere.
A un certo punto Bobby disse che gli spiaceva, non voleva fargli del male.
Certo, disse la madre del Santo con un sorriso. Il padre alzò lo sguardo dal libro e disse con tono gentile una cosa che spesso dicono i nostri genitori. Ci mancherebbe.

Il Santo però non era messo benissimo, alla fine. Vollero tenerselo là, in osservazione – la testa, non si sa mai. Ci portarono da lui, i suoi sembravano preoccupati più che altro della biancheria. I ricambi. Che nel dettaglio si salvi il mondo è una cosa in cui crediamo ciecamente.

Il Santo fece un cenno a Bobby e lui si avvicinò. Si dissero qualcosa. Poi un gesto di quelli.

Rimasi con Bobby a fare le firme, per l'ospedale, a prendere le prescrizioni – i genitori del Santo se ne erano già andati. Quando uscimmo, fuori c'era Luca.

Perché non sei entrato?

Li odio, gli ospedali.

Ce ne andammo verso il tram, chiusi a riccio nei nostri cappotti, respirando nebbia. Era tardi, e nel buio c'era soltanto solitudine. Non parlammo fino a quando arrivammo alla fermata. Perché una fermata del tram di notte, nei nostri freddi di nebbia, è perfetta. Solo le parole necessarie, nessun gesto. Un'occhiata quando serve. Si parla come uomini antichi. Luca voleva sapere e noi gli raccontammo, in quel modo lì. Gli dissi del pomeriggio dalla madre di Andre. Nelle poche parole, era ancora più assurdo.

Siete pazzi, disse.

Sono andati a farle la predica, disse Bobby.

E lei?, chiese Luca.

Raccontai la faccenda del monaco. Più o meno come l'avevamo sentita. Fino al punto in cui Andre era sua figlia.

Luca prima rise, poi se ne stette un po' a pensare.

Non è vero, disse alla fine.

Vi ha presi per il culo, disse.

Ripensai a come quella donna l'aveva detto, in cerca di una sfumatura, che spiegasse. Ma era sbattere contro un vetro, non ne usciva nulla. Così restava quella ipotesi di un prete nel seminato avverso – un colpo basso. Era meglio prima, noi di qua, loro di là, a ciascuno il suo raccolto. Era il tipo di schema in cui noi sapevamo giocare. Ma adesso era geometria diversa, era la loro geometria impazzita.

Ci venite a vedere lo spettacolo?, chiese Bobby. Intendeva quella cosa di lui e Andre.

Luca si fece spiegare, poi disse che piuttosto si ammazzava.

E tu?, chiese Bobby rivolto a me.

Sì, ci vengo, tienimi tre biglietti.

Tre?

Ho due amici che ci tengono.

I soliti due stronzi?

Loro.

Va bene tre, allora.

Grazie.

Arriva il tram, disse Luca.

Ma dato che si erano picchiati, poi se ne andarono insieme per le montagne, Bobby e Il Santo. Noi facciamo così. Quando si spezza qualcosa, cerchiamo la fatica e la solitudine. È tale il lusso spirituale in cui viviamo – ci scegliamo come cura, per salvarci, quello che in una vita normale sarebbe pena e condanna.

Preferibilmente cerchiamo fatica e solitudine in mezzo alla natura. Prediligiamo la montagna, per ovvie ragioni. Il nesso tra fatica e ascesa, lì, è letterale, e la tensione di ogni forma verso l'alto ossessiva. Camminando le cime, il silenzio si fa religioso, e la purezza intorno è una promessa mantenuta – l'acqua, l'aria, la terra pulita da insetti. In definitiva, se credi in Dio, la montagna resta il luogo più facile in cui farlo. Va aggiunto che il freddo induce a nascondere i corpi e la fatica li sfigura: così il nostro quotidiano sforzo di censurare il corpo è esaltato, e dopo ore di marcia ci riduciamo a passi e pensieri – lo stretto necessario, ci hanno insegnato, per essere noi stessi.

Se ne andarono per le montagne e non vollero nessuno con loro. Una tendina canadese, pochi viveri, neanche un libro, o musica. Fare a meno di tutto è una cosa che aiuta – niente come l'indigenza può portarti vicino alla verità. Partirono perché avevano in mente di sciogliere un grumo fra loro. Due giorni e sarebbero tornati.

Sapevo dove avevano in mente di andare. C'era un'esasperante, lunga pietraia in salita, prima dell'accosto alla cima vera e propria. Camminare in pietraia è una penitenza – ci vedevo lo zampino del Santo, erano cose da lui. Voleva una penitenza. Ma anche la luce, probabilmente – la luce in pietraia è la luce vera della terra. E anche voleva la strana sensazione che conosciamo là sopra, come di cosa morbida rimasta, ultima, a galleggiare su un'inondazione di fissità. Scampati a un sortilegio.

Invidiandoli un po', li vidi partire. Ci conosciamo abbastanza da notare le sfumature. Bobby aveva uno strano modo di fare le piccole cose della partenza – si era pure presentato con delle scarpe sbagliate, come di uno che non volesse partire completamente. Gli chiesi se era sicuro di voler andare e lui sollevò le spalle. Sembrava non gli importasse un granché.

La prima notte si accamparono ai margini della pietraia. Montavano la tenda, ormai al buio, e lo zaino del Santo, appoggiato su una pietra, rotolò giù. Era un po' aperto, ne scivolarono fuori le quattro cose del viaggio. Ma anche, nella luce della lampada a gas, un luccichio metallico che Bobby non capì subito. Il Santo andò a rimettere le cose dentro lo zaino, poi tornò alla tenda. Che te ne fai di una pistola, gli chiese Bobby, ma sorridendo. Niente, disse Il Santo.

Fu anche quello, ma probabilmente le parole durante la notte, ancora di più. La mattina iniziarono a salire la pietraia, però senza parlarsi, due estranei. Il Santo ha un modo di camminare implacabile, saliva costante, muto. Bobby restò indietro, le scarpe sbagliate non lo aiutavano. Si alzò un vento da est e poi la pioggia. Faceva un freddo cane. Il Santo camminava regolare facendo piccole pause, regolari – non si voltava mai. Da là dietro, a un certo punto, Bobby gli gridò qualcosa. Il Santo si voltò. Bobby gli urlò che si era rotto i coglioni, lui tornava indietro. Il Santo scosse la testa e gli fece un cenno, per dirgli di smetterla, e di camminare, piuttosto. Ma Bobby non ne voleva proprio sapere, gridava forte, e aveva la voce di uno vicino a piangere. Allora Il Santo ridiscese di qualche metro, lentamente, guardando bene dove metteva i piedi. La pioggia cadeva obliqua, gelida. Arrivò a qualche pietrone da Bobby e gli chiese forte che cazzo stava succedendo. Niente, rispose Bobby, è solo che io me ne torno indietro. Il Santo si avvicinò ancora un po', ma sempre rimanendo a qualche metro. Non lo puoi fare, disse. Certo che lo posso fare. Anzi, dovresti farlo anche tu, andiamocene da qui, è una gita di merda. Ma non era una gita, quella, per Il Santo, non sono gite, per noi, che ci crediamo – niente di peggio che chiamarle gite, sono riti della nostra liturgia. Così Il Santo sentì spezzarsi qualcosa di irrimediabile, e non si sbagliava. Disse a Bobby che gli faceva pena. Guardati tu, fanatico di merda, gli rispose Bobby. Non urlavano proprio, ma il vento li costringeva a parlare forte. Stettero per un po' immobili, a non sapere. Poi Il Santo si voltò e prese di nuovo a salire, senza una parola. Bobby lo lasciò andare e poi cominciò a urlargli che era un pazzo, e che si sentiva un santo, eh?, ma non lo era, sapevano tutti benissimo che non lo era, lui e le sue puttane! Il Santo continuava a salire, sembrava neanche ascoltare, ma a un certo punto effettivamente si fermò. Si tolse lo zaino, lo appoggiò per terra, lo aprì, si chinò a prendere qualcosa, e poi si rialzò, con la pistola stretta nella mano destra. Bobby!, urlò. Erano lontani, e poi c'era il vento, dovette gridare. Tienila tu, gridò. E gli gettò la pistola, perché lui la prendesse. Bobby la lasciò cadere tra i pietroni, gli facevano paura, le pistole. La vide rimbalzare sul duro e poi rotolare in un buco. Quando si voltò verso Il Santo, lo vide di spalle, lento, salire. Allora per un po' non capì, ma poi gli venne in mente che quel ragazzo non voleva rimanere da solo con la sua pistola, completamente da solo con lei. E gli venne una grande tenerezza per Il Santo, e per il suo camminare sempre più piccolo, sulla pietraia. Ma non cambiò idea, e non riprese a salire, e capì che sarebbe stato così per sempre.

Andò a raccogliere la pistola. Per quanto gli facesse schifo, la mise nel suo zaino, perché scomparisse da lì e da ogni solitudine in cui Il Santo potesse passare. Poi si mise in cammino sulla via del ritorno.

Conosco questa storia perché me l'ha raccontata Bobby, con tutti i particolari. L'ha fatto per spiegarmi che probabilmente ogni cosa era già successa prima, con una lentezza da movimento geologico, ma alla fine era stato sulla pietraia che lui aveva capito, d'un tratto, che tutto era finito. Si riferiva a qualcosa che noi conosciamo bene – l'espressione imprecisa che usiamo è: perdere la fede. È il nostro incubo. In ogni momento del nostro cammino sappiamo che qualcosa può succedere, affine a un'eclissi totale – perdere la fede.

Quanto i preti ci possono insegnare, a proposito di questa eventualità, è comprensibile solo risalendo all'esperienza dei primi apostoli. Erano pochi, i più vicini a Cristo, e all'indomani del Calvario, staccato il loro Maestro dalla croce, si riunirono, sgomenti. Va ricordato che avevano addosso il dolore molto umano per la perdita di qualcosa di caro: ma niente di più. Nessuno di loro, in quel momento, era consapevole che a morire non era stato un amico, un profeta, un maestro – ma Dio. Era qualcosa che non avevano capito. Evidentemente non era alla loro portata riuscire a immaginare che quell'uomo fosse *davvero* Dio. Così si riunirono, quel giorno, dopo il Calvario, nella memoria molto semplice di una persona cara, e insostituibile, che era andata perduta. Ma dal cielo, su di loro, calò lo Spirito Santo. Così, d'improvviso, il velo si squarciò, e loro capirono. Quel Dio con cui avevano camminato per anni, adesso lo riconobbero, e c'è da immaginare come ogni piccola tessera della vita in quell'istante sia loro tornata in mente, in una luce così abbagliante da spalancarli nel profondo, e per sempre. Nel Nuovo Testamento, quello spalancamento è tramandato nella bella metafora della glossolalia: divennero di colpo capaci di parlare tutte le lingue del mondo – era un fenomeno noto, e lo si associava alla figura dei veggenti, degli indovini. Era il sigillo di una comprensione magica.

Così, quanto ci insegnano i preti è che la fede è un dono, che viene dall'alto, e che appartiene all'ambito del mistero. Per questo è fragile, come una visione – e come una visione, intoccabile. È un accadimento sovrannaturale.

Tuttavia noi sappiamo che non è così.

Siamo ubbidienti alla dottrina della Chiesa, ma anche conosciamo bene una storia diversa, le cui radici risalgono alla terra sommessa che ci ha generati. Da qualche parte, e in modo invisibile, le nostre famiglie infelici ci hanno passato un istinto irrimediabile a credere che la vita sia un'esperienza immensa. Tanto più modesta è stata qualsiasi consuetudine che ci hanno trasmesso, tanto più profondo è stato, ogni giorno, il loro richiamo sotterraneo a un'ambizione senza limiti – un'attesa di senso quasi irragionevole. Così ci siamo accostati al mondo, fin da bambini, con il preciso intento di restituirlo alla sua grandezza. Lo pretendiamo giusto, nobile, fermo nel tendere al meglio e inarrestabile nel suo cammino di creazione. Questo fa di noi dei ribelli, e dei diversi. Il mondo fuori ci appare per lo più un compito umiliante, arido, del tutto inadeguato alle nostre aspettative. Nelle vite di quelli che non credono vediamo la routine dei condannati, e in ogni loro singolo gesto scorgiamo la parodia dell'umanità che sogniamo. Qualsiasi ingiustizia è un'offesa alle nostre attese – lo è ogni dolore, malvagità, miseria d'animo, bruttura. Lo è qualsiasi passaggio a vuoto del senso – e ogni uomo senza speranza, o nobiltà. Ogni gesto meschino. Ogni istante perduto.

Così, ben prima che in Dio, crediamo nell'uomo – e solo questo, all'inizio, è la fede.

Come ho detto, essa affiora in noi nella forma di una battaglia – siamo contro, siamo differenti, siamo dei pazzi. Ci fa schifo ciò che piace agli altri, ed è per noi prezioso quanto gli altri disprezzano. Inutile dire che ciò ci galvanizza. Cresciamo nell'idea di essere degli eroi – ma tuttavia di un tipo strano, che non discende dalla tipologia classica dell'eroe – non amiamo infatti le armi, né la violenza, né la lotta animale. Siamo eroi femmina, per quel nostro insinuarci nella bagarre a mani nude, forti di un candore infantile e invincibili nel nostro assetto di irritante modestia. Strisciamo tra le ruote dentate del mondo a fronte alta ma con il passo degli ultimi – lo stesso passo schifosamente umile, e fermo, con cui Gesù di Nazareth camminò il mondo per tutta la sua vita pubblica, fissando prima che una dottrina religiosa un modello di comportamento. Invincibile, come la storia ha dimostrato.

Nel fondo di questa epopea rovesciata, troviamo Dio. È un passo naturale, che viene da sé. Crediamo così tanto in ogni creatura, che ci risulta normale il pensare a una creazione – un gesto sapiente che chiamiamo con il nome di Dio. Così, la nostra fede non è tanto un evento magico, e incontrollabile, quanto una deduzione lineare, l'estensione all'infinito di un istinto ereditato. Cercatori del senso, ci siamo spinti molto lontano, e al termine del viaggio c'era Dio – la totale pienezza del senso. Molto semplice. Quando ci capita di smarrire tale semplicità, ci soccorrono i Vangeli, perché in essi il nostro viaggio dall'uomo a Dio è fissato per sempre in un modello certo, dove il figlio ribelle dell'uomo coincide con il figlio prediletto di Dio, entrambi fusi in un'unica carne, eroica. Quel che potrebbe essere follia, in noi, lì è rivelazione, e destino compiuto – ideogramma perfetto. Ne ricaviamo una certezza senza spigoli – la chiamiamo fede.

Perderla, è cosa che accade. Ma uso qui un'espressione imprecisa, che allude alla fede come incantesimo, una cosa che non ci riguarda. Non *perderò* la fede, non la può *perdere* Bobby. Non l'abbiamo *trovata*, non possiamo *perderla*. È una cosa differente, per nulla magica. Quel che mi viene in mente è il geometrico crollo di un muro – l'istante in cui cede un punto della struttura, e tutto collassa. Perché solida è la parete di pietra, ma nel cuore sempre porta un incastro debole, un appoggio malfermo. Nel tempo abbiamo imparato con esattezza *dove* – la pietra nascosta che ci può tradire. È nell'esatto punto in cui appoggiamo ogni nostro eroismo, e ogni nostro sentimento religioso: è dove rifiutiamo il mondo degli altri, dove lo disprezziamo, per istintiva certezza, dove lo sappiamo insensato, con totale evidenza. Solo Dio ci basta, le cose mai. Ma non è sempre vero, non è vero per sempre. Basta alle volte l'eleganza di un gesto altrui, o la gratuita bellezza di una parola laica. Lo scintillio di vita, raccolto in destini sbagliati. La nobiltà del male, a tratti. Filtra allora una luce, che non avremmo sospettato. Si spezza la certezza di pietra, e tutto crolla. L'ho visto in tanti, l'ho visto in Bobby. Mi ha detto – ci sono un sacco di cose vere, intorno, e noi non le vediamo, ma loro ci sono, e hanno un senso, senza nessun bisogno di Dio.

Fammi un esempio.

Tu, io, come siamo veramente, non come facciamo finta di essere.

Fammene un altro.

Andre, e perfino la gente che le sta intorno.

Ti sembra che *abbia un senso* gente come quella?

Sì.

Perché?

Sono veri.

Noi non lo siamo?

No.

Voleva dire che nell'assenza di senso, il mondo pur tuttavia accade, e in quell'acrobazia di esistere senza coordinate c'è una bellezza, perfino una nobiltà, talvolta, che noi non sappiamo – come una possibilità di eroismo a cui non abbiamo mai pensato, *l'eroismo di una qualche verità*. Se riconosci questo, coi tuoi occhi, nel fissare il mondo, anche una sola volta, allora sei perduto – c'è ormai un'altra battaglia, per te. Cresciuti nella certezza di essere degli eroi, in altre leggende diventiamo memorabili. Sfuma Dio, come un ripiego infantile.

Bobby mi disse che quella pietraia, in montagna, gli era sembrata, tutto d'un colpo, quel che era rimasto di una fortezza in rovina. Non c'era modo di camminarci su, disse.

Vedemmo allora il suo lento scivolare lontano, ma mai di spalle, gli occhi ancora su di noi, i suoi amici. Avresti detto che sarebbe tornato, dopo un po'. Né pensammo mai di vederlo sparire davvero. Ma lasciò perdere le larve, giù all'ospedale, e tutto il resto. Venne a suonare ancora qualche volta, in chiesa, poi più niente. I bassi li facevo io, alla tastiera. Non era la stessa cosa, ma soprattutto non era lo stesso crescere, il nostro, senza di lui. Aveva una leggerezza, noi non l'avevamo.

Un giorno tornò a dirci del suo spettacolo con Andre, se davvero lo volevamo vedere. Noi dicemmo di sì, e andammo, e questo cambiò le nostre vite.

Era in un teatro fuori città, un'ora di macchina, fino a una cittadina di vie e case spente, la campagna intorno. Provincia. Ma con un teatro d'altri tempi, in piazza, con palchi e tutto – ferro di cavallo. Forse c'era qualcuno del posto, ma soprattutto erano amici e parenti quelli arrivati a vedere, come per un matrimonio, tutti a salutarsi, all'ingresso. Noi in disparte, perché c'erano molti dei loro – quelli che Bobby diceva veri, mentre noi no. Ancora una volta mi fecero schifo, tuttavia.

Né lo spettacolo ci parve molto meglio. Con tutta la buona volontà. Ma non era roba che noi potessimo capire. Oltre ad Andre c'era Bobby che suonava, delle diapositive sul fondo, e tre altri ballerini che però erano gente normale, perfino deformi, corpi sprovvisti di bellezza. Non ballavano, a meno che quello fosse ballare, il muoversi secondo regole e un piano preciso. Ogni tanto, al basso di Bobby si mescolavano altri suoni e rumori, registrati. Grida, a un tratto – e nel finale.

Sul basso di Bobby c'era ancora la decalcomania di Gandhi – questo mi fece piacere. Ma era vero che suonava diverso, non solo le note, ma l'appoggio sui piedi, la curva della schiena, e soprattutto il volto, che ricercava, ed era senza vergogna, come dimentico del pubblico – un volto privato. Ci vedevi, volendo, Bobby com'era, da quando aveva smesso di essere Bobby. Lo guardavamo affascinati. Il Santo ogni tanto rideva, ma basso, di imbarazzo.

Poi c'era Andre. Stava nei suoi movimenti, totale – un corpo. Quel che potevo capire è che cercava una qualche necessità nel mettere i gesti in fila, come se avesse deciso di sostituire al caso, o alla naturalezza, una sorta di necessità che li tenesse insieme, l'uno a dettare l'altro, inevitabilmente. Ma poi chissà. Un'altra cosa potevi dire, ed era che dove stava lei si formava un'intensità particolare, a tratti ipnotica – lo sapevamo, l'avevamo già visto negli spettacolini della scuola, ma non è cosa a cui sia possibile abituarsi, ogni volta prende di sorpresa, e così fu quella volta, mentre lei – ballava.

Devo aggiungere che era proprio come aveva detto Bobby, non voleva dire niente, non c'era una storia, un messaggio, niente, solo quella apparente *necessità*. Tuttavia a un certo punto Andre era sdraiata per terra, sulla schiena, e quando si alzò lo fece lasciando cadere il camicione bianco che portava, la muta di un serpente, e diventò davanti ai nostri occhi nuda. Così ci era dato, senza nulla in cambio, ciò che sempre avevamo pensato fuori dalla nostra portata – lasciandoci interdetti sul da farsi. Nuda, Andre si muoveva, e qualsiasi nostra posizione, sulla poltrona del teatro, era improvvisamente inappropriata, perfino dove tenevamo le mani. Gli occhi, io li tenevo nello sforzo di guardare la scena tutta, ma quelli cercavano invece il corpo nei suoi dettagli, per arraffare il dono imprevisto. C'era inoltre la vaga sensazione che sarebbe durato poco, e dunque una fretta, e il disappunto quando lei tornava ad avvicinarsi al suo camicione. Che tuttavia sempre lasciava per terra, allontanandosi di nuovo – lo evitava. Non so se sapesse cosa stava facendo, con i nostri occhi. Possibile che non gliene importasse nulla, che non fosse quello il cuore della faccenda. Ma lo era per noi – va ricordato che io, ad esempio, avevo visto una ragazza nuda quattro volte in vita mia, tanto che le avevo contate. E lei era Andre, non una ragazza. Quindi la guardavamo – e il punto era che non ne ricavavamo nulla di sessuale, nulla che avesse a che vedere con il desiderio, come se lo sguardo si fosse staccato dal resto del corpo, e questo mi parve una magia: che si potesse posare così un corpo, nudo, come se fosse una pura forza, non un corpo, nudo. Perfino quando la guardai in mezzo alle gambe, e osai farlo, perché lei lasciava che lo facessi, non c'era più sesso da un sacco di tempo, come sparito, solo un'inaudita prossimità, impensabile. E questo, mi parve di capire, era l'unico messaggio, l'unica storia che mi era stata raccontata, su quel palcoscenico. Quella faccenda del corpo nudo. Prima della fine, Andre si rivestiva, ma lentamente, un abito da uomo, fino alla cravatta – qualcosa di simbolico, immagino. Sparì per ultimo il triangolo biondo tra le cosce, nei pantaloni scuri con la piega, e fu durante quella lunga vestizione che si sentirono colpi di tosse, in sala, come di gente tornata da lontano – così ci accorgemmo del silenzio speciale, prima.

Dopo si andava nei camerini. Bobby sembrava felice. Ci abbracciò tutti quanti. Bello?, chiese. Strano, disse Luca. Ma aveva appena finito di dirlo che aveva preso la testa di Bobby tra le mani, e aveva appoggiato la fronte sulla sua, strofinandosi un po' – non facciamo gesti del genere, di solito, non mettiamo di mezzo i corpi, tra maschi, quando cediamo alla tenerezza, alla commozione. E Il Santo, che dice Il Santo?, chiese Bobby. Il Santo era un passo indietro. Sorrise bello, e si mise a scuotere la testa. Sei grande, disse, tra i denti. Vieni qui, stronzo, disse Bobby, e andò ad abbracciarlo. Non so, era tutto strano – eravamo migliori.

Si avvicinò Andre, allora, venne lei da noi, aveva deciso di farlo. I miei amici, disse Bobby, impreciso. Lei si era fermata a un passo da noi, fece sì con la testa, era chiusa in un accappatoio, blu. I piedi nudi. La band, disse, ma senza disprezzo – annotava qualcosa. Bobby presentò prima me, poi Luca, e infine Il Santo. Sul Santo lei rimase con lo sguardo, e lui non lo abbassò. Sembrarono sul punto di dire qualcosa, tutti e due. Ma uno che passava da lì abbracciò da dietro Andre, era uno di quelli là, tutto sorrisi. Le disse come era stato bello, se la portò via. Andre ci disse ancora una cosa come Vi fermate vero? Poi se n'era già andata.

Fermarci – quella era una cosa in cui Bobby ci aveva incastrati. Non osavamo dirgli di no, in quel periodo, e lui ci aveva invitato ad andare con lui, dopo lo spettacolo, in una casa di Andre, grande di campagna, a dormire, che c'era una festa, e poi un letto per dormire. Noi non andiamo facilmente a dormire a casa d'altri, non ci piace l'intimità con oggetti altrui – gli odori, gli spazzolini usati in bagno. Non andiamo nemmeno troppo volentieri alle feste, che si addicono poco alla nostra singolare forma di eroismo. Tuttavia gli avevamo detto sì – un modo per scappare l'avremmo sicuramente trovato, questo è quel che pensavamo.

Ma in molti defluirono verso quella casa, a pochi chilometri, in processione di macchine, spesso sportive. Dunque non ci riuscì di trovare la feritoia da cui scappare. Una feritoia educata. Ci trovammo alla festa, che non sapevamo bene come usare. Il Santo iniziò silenziosamente a bere, e ci parve una buona soluzione. Allora divenne più facile. C'era qualcuno che conoscevamo, io ad esempio incontrai un'amica della mia fidanzata. Mi chiese di lei, perché non c'era: non stiamo più tanto insieme, le dissi. Allora andiamo a ballare, lei disse, come se fosse stata una conseguenza naturale, l'unica. Mi tirai dietro Luca, non Il Santo che parlava fitto con un vecchio dai capelli lunghi – si sporgevano ogni volta uno addosso all'altro per forare la musica, altissima. In quella musica noi ci mettemmo a ballare. Ci vide Bobby, e sembrava contento, come di un problema risolto. Io, a ogni canzone che passava pensavo che era l'ultima, ma poi continuavo – venne Luca vicino e mi gridò in un orecchio che facevamo ridere, ma per dirmi il contrario, che eravamo bellissimi, una volta tanto, e forse aveva ragione. Non so come, mi ritrovai seduto, alla fine, e di fianco c'era l'amica della mia fidanzata. Tutti sudati, a guardare la gente ballare, battendo il tempo con la testa. Non c'era modo di parlare, non parlavamo. Lei si girò, mi mise le braccia intorno al collo, e mi baciò. Aveva delle belle labbra, morbide, baciava come se avesse sete. Andò avanti per un po', mi piaceva. Poi lei tornò a guardare la gente, forse tenendomi per mano, non mi ricordo. Stavo pensando a quel bacio, non sapevo neanche cos'era. Lei si alzò e tornò a ballare.

Ce ne andammo a dormire quando la droga iniziò a girare un po' troppo, o ti drogavi anche tu o eri davvero fuori posto. Ce ne andammo, quindi, perché quella non era cosa per noi. Ci toccò passare da Bobby, per sapere dove potevamo trovare un letto, ma lui era già piuttosto avanti con l'erba, a noi non andava di vederlo così – a lui non andava di rovinare tutto per quella storia lì. Come se avesse capito, venne Andre, allora, a portarci via, il tono gentile, controllata nei gesti – uscita da chissà dove, nella festa non c'era. Ci portò a una stanza, dall'altra parte della casa. A un certo punto disse Lo so, anch'io mi stufo di ballare dopo un po'. Sembrava l'inizio di una conversazione, e allora Luca disse che lui non ballava mai, ma che a dire il vero, quando lo faceva gli sembrava fighissimo, e rise. Sì, lo è, disse Andre, guardandolo. Poi aggiunse Neanche lo sapete, ma siete bellissimi, voi tre. Anche Bobby lo è. Se ne andò, perché non era l'inizio di una conversazione, era una cosa che voleva dire, e basta.

Forse fu quella frase, forse l'alcol e il ballare, ma poi, rimasti soli, andammo avanti un bel po' a parlare, noi tre, quasi a continuare qualcosa. Io e Luca sdraiati in un letto grande, Il Santo sistemato su un divano, dall'altra parte della stanza. Parlavamo come se avessimo un futuro davanti, appena scoperto. Anche di Bobby, e che dovevamo riportarlo con noi. E tante nostre storie, soprattutto inconfessabili, ma in una luce diversa, senza rimorsi – ci sentivamo capaci di tutto, una cosa che ai giovani accade. Le orecchie ci ronzavano, e quando chiudevamo gli occhi saliva la nausea – ma andavamo avanti a parlare, mentre dalle persiane filtrava la luce del giardino, finiva a strisce sul soffitto, noi a fissarle, andando avanti a parlare, senza guardarci. Chiedemmo al Santo dove andava quando spariva. Lui lo disse. Non avevamo paura di niente. E Luca raccontò di suo padre, al Santo per la prima volta, a me storie che non sapevo. Ma di ogni cosa sembravamo essere capaci, e dicevamo parole che sembravamo capire. Neanche una volta qualcuno disse Dio. Molte volte restavamo in silenzio, per un po', perché non avevamo fretta, e volevamo che non passasse mai.

Ma stava parlando Il Santo, quando si udì un rumore, vicino – poi la porta che si apriva. A parte tacere, ci tirammo su il lenzuolo addosso – il solito pudore. Poteva essere chiunque, ma era Andre. Entrò nella stanza, richiuse la porta, aveva addosso una maglietta bianca e nient'altro. Si guardò un po' intorno, poi venne a infilarsi nel nostro letto, tra Luca e me, come se fosse inteso così. Faceva tutto tranquillamente, senza dire una parola. Appoggiò la testa sul petto di Luca, rimanendo per un po' immobile, su un fianco.

Una gamba sulle sue. Luca prima non fece nulla, poi prese ad accarezzarle i capelli, si sentiva ancora la musica della festa, da lontano. Poi erano più stretti e allora io mi sedetti sul letto, con l'idea di andarmene, l'unica idea che mi era venuta. Tuttavia Andre si voltò appena, e mi disse Vieni qui, prendendomi per mano. Così mi sdraiai dietro di lei, il mio cuore attaccato alla sua schiena, tenendo un po' indietro le gambe, prima, ma poi stringendomi di più, il mio sesso contro la sua pelle, rotonda, che iniziò a muoversi, lenta. La baciavo sulla nuca, mentre lei passava le labbra sugli occhi di Luca, adagio. Così di Luca sentivo il respiro, e da così vicino la bocca socchiusa. Ma dove facevo scivolare le mie mani, lui ritraeva le sue – toccavamo Andre senza toccarci, subito d'accordo che non l'avremmo fatto. Mentre lei ci prendeva piano, sempre in silenzio, e guardandoci, ogni volta.

Lei era il segreto – questo avevamo capito da tanto tempo, e adesso il segreto era lì, e non mancava che un passo. Non avevamo mai voluto qualcosa d'altro. Per questo la lasciavamo guidarci, e ogni cosa era semplice, comprese quelle che non lo erano mai state, per me. Non conoscevo niente di simile, ma tale era la disparizione di qualsiasi oscurità, che già sapevo cosa avrei visto quando, a un certo punto, mi girai dalla parte del Santo, per poi vederlo seduto, là sul divano, i piedi appoggiati a terra, che ci fissava, senza espressione – una figura da quadro spagnolo. Non si muoveva. Respirava appena. Avrei dovuto spaventarmi, perché il suo sguardo era vicino a quello che conoscevo, ma non accadde. Ogni cosa era semplice, l'ho detto. Non gli venne da farmi un cenno, non c'era nulla che volesse dirmi. A parte quel suo stare, senza distogliere lo sguardo. Pensai allora che tutto era vero, se lui lo vedeva – vero e incolpevole, se lui taceva.

Così tornai a guardare Andre – sdraiata sulla schiena tirava Luca e lo spingeva via, tra le sue gambe aperte. Siamo stati addestrati così a lungo a fare sesso senza scopare, che sono altre per noi le cose davvero eccitanti, non certo quello stare uno dentro l'altra – e il movimento animale. Ma guardare negli occhi qualcuno che sta facendo l'amore, quello non l'avevo immaginato mai – mi parve la massima delle vicinanze possibili, quasi un possesso definitivo. Allora ebbi la sensazione che davvero stavo portandomi via il segreto. Fissai gli occhi di Andre, che mi guardavano, dondolando nelle spinte di Luca. Sapevo cosa mancava, così mi chinai per baciarla sulla bocca, non l'avevo mai fatto, da sempre lo volevo fare – lei girò il viso, mi offrì la guancia, posò una mano sulle mie spalle, ad allontanarmi appena. Continuai a baciarla, cercando la bocca – lei sorrideva continuando a scappare. Dovette capire che non avrei smesso mai, allora scivolò via da Luca, come un gioco, si piegò su di me, prese il mio sesso tra le labbra, la sua bocca lontano dalla mia, come voleva lei. Incrociai lo sguardo di Luca, fu l'unica volta, aveva i capelli appiccicati sulla fronte e non c'è niente da fare, era bellissimo. Mi lasciai cadere sulla schiena. Pensai che adesso avrei guardato Andre che succhiava il mio sesso, l'avrei vista così, una volta per tutte. Ma invece misi una mano nei suoi capelli e strinsi le dita, piegando il braccio, e tirando la sua testa verso di me. Sapevo, da qualche parte, che se non fossi riuscito a baciarla tutto sarebbe stato inutile. Lei si lasciò tirare, sorrideva, arrivò a un soffio dalle mie labbra, ma rideva. Salì su di me per tenermi giù le spalle attaccate al letto, rideva a un soffio dalle mie labbra, un gioco. Le presi la testa da dietro, e la spinsi verso di me, prima si irrigidì, poi non rideva più, poi io feci coi fianchi un gesto che non conoscevo, lei mi lasciò entrare dentro di sé, e io mi arresi, perché era la prima volta che scopavo in vita mia. Neanche con le nostre puttane, mai.

Ci addormentammo che c'era la luce del mattino alle persiane, il divano deserto, Il Santo sparito chissà dove. Dormimmo per ore. Quando ci svegliammo Andre non era più lì. Ci guardammo un attimo, io e Luca. Lui disse Merda. Lo disse molte volte, sbattendo la testa sul cuscino.

Non molto tempo dopo si sparse la notizia che Andre aspettava un bambino – lo dicevano le ragazze, come di cosa che doveva accadere, ed era accaduta.

Luca ne fu terrorizzato. Non si riusciva a farlo ragionare, avevo un bel dirgli che non ne sapevamo niente, che facilmente non c'era nulla di vero. E poi chi lo diceva che era proprio nostro, quel figlio. Dicevo così, *nostro*.

Cercavamo di ricordarci com'era andata. Che le

cose funzionassero in un certo modo lo sapevamo, ma poco di più. Ci sembrò importante capire dove diavolo avevamo sparso il nostro seme, espressione molto biblica che i preti usano al posto di *venire*. Il problema era che non ce lo ricordavamo esattamente – può sembrare strano, ma era così. Come ho già avuto modo di dire, noi veniamo di rado, e per errore, facciamo sesso in un altro modo – così, perfino con Andre, non ci era parso quello, il cuore della faccenda. Tuttavia concludemmo che in effetti era dentro di lei che eravamo venuti, *anche* – e quell'anche fu la sola cosa per cui rise Luca, ma giusto un attimo.

Poteva essere nostro, capimmo.

L'idea era micidiale, non c'era nulla da dire. Appena nati all'arte di essere figli, diventavamo padri, prede di un'illogica precipitazione degli eventi. Oltre al complesso di colpa, immane, e di una colpa vergognosa, sessuale – come avremmo mai saputo spiegare, alle madri, ai padri, e a scuola. Era naturale pensare alle singole circostanze, quando l'avremmo detto e descritto, i dettagli, il vuoto di ragioni, i silenzi. I pianti. O sarebbero venuti a scoprirlo prima loro – ogni volta rientravamo in casa e nello spingere la porta interrogavamo quel silenzio, per capire se era la sommessa mestizia di sempre, o il vuoto del disastro. Non era vivere, quello. E senza neppure spingersi a pensare al dopo, un bambino vero, la sua vita, in che casa, con che padri e madri, i soldi. Fin lì non arrivavamo, non ho mai visto quel figlio, neanche una volta, nell'immaginazione, non sono mai arrivato fino a lui, in quei giorni.

Più segretamente, io pensavo ancora più indietro, dove ci vedevo esiliati in un paesaggio che non era il nostro, risucchiati da quella vocazione alla tragedia che era dei ricchi – era uno spacco, e potevo sentirne il rumore. Ci eravamo spinti troppo in là, seguendo Andre, e per la prima volta mi accadde di pensare che non saremmo più stati capaci di trovare la via del ritorno. A parte le altre paure, questo era il mio vero terrore, ma a Luca non lo dissi mai – bastava tutto il resto a gelarlo, la nostra avventura.

La vivevamo da soli, va anche detto, tenendo ogni cosa segreta dentro di noi. A Bobby non volevamo parlarne, Il Santo era sparito nel nulla. Dalle larve avevamo smesso di andare, alla messa ci ritrovammo in due a suonare e cantare, una pena. Ci provai, a parlare con Il Santo, ma lui sfuggiva, algido, riuscii a bloccarlo una volta all'uscita dalla scuola, non ne venne fuori niente. Si capiva che aveva bisogno di tempo. Altri non c'erano, intorno a noi. Nessun prete, per storie del genere. Quindi eravamo così soli – di quella solitudine che germoglia disastri.

Eravamo anche così piccoli.

Di parlarne con Andre, neanche ci passava per la mente. Né lei sarebbe mai venuta da noi, lo sapevamo. Così chiedevamo in giro, senza mettere accenti nelle parole, le mani in tasca. Si sapeva che aspettava il bambino, l'aveva detto lei, a qualcuno, negando sempre il nome del padre. Sembrava un fatto. Tuttavia io non ci credetti mai veramente fino al giorno in cui mi accadde, per strada, di incontrare il padre di Andre – era al volante di una spider rossa. Ci eravamo conosciuti allo spettacolo, ma giusto presentati, stranamente si ricordava di me. Accostò al marciapiedi e si fermò dove ero io. Erano giorni in cui chiunque ci rivolgesse la parola, noi temevamo il disastro, Luca e io. Hai visto Andre?, mi chiese. Pensai volesse dire se avevo visto che meraviglia era stata, là sul palcoscenico – o addirittura in generale, che meraviglia era, nella vita. Allora risposi Sì. Dove?, mi chiese. Mi venne da rispondere Dovunque. Suonò un po' esagerato, a dire il vero. Così aggiunsi Da lontano. Il padre di Andre fece sì con la testa, come a dire che era d'accordo, e che aveva capito. Diede uno sguardo intorno. Forse stava pensando a che tipo strambo dovevo essere. Stai in gamba, disse. E ripartì.

Quattro traverse più in là, dove un semaforo lampeggiava inutilmente nel sole, la spider rossa fu travolta da un furgoncino impazzito. L'impatto fu terribile, e il padre di Andre vi perse la vita.

Allora io seppi che quel bambino c'era, perché riconobbi come la quadratura di un cerchio – l'incontro di due geometrie. L'incantesimo che governava quella famiglia, saldando ogni nascita a una morte, si era incrociato con il protocollo del nostro sentire, che collegava ogni colpa a un castigo. Ne risultava con tutta evidenza una prigione d'acciaio – sentii distintamente il suono meccanico della serratura.

Non ne parlai con Luca – aveva iniziato a saltare giorni di scuola, non rispondeva al telefono. Dovevo andare a prenderlo per farlo uscire da casa, alle volte, e non sempre bastava. Tutto era difficile, in quelle ore, la pena di continuare le cose. Una mattina mi ero messo in testa di portarlo a scuola, così passai da casa sua, alle sette e mezzo del mattino. In ingresso incrociai suo padre, aveva già il cappello in testa, la cartella in mano, stava per andare in ufficio. Rimase serio e di poche parole, si vedeva che soffriva da matti quella mia visita fuori orario, ma l'accettava, come l'arrivo di un medico. Luca era in camera sua – si era vestito, ma stava sdraiato sul letto, rifatto. Chiusi la porta, forse avevo in mente di alzare la voce. Gli misi i libri nella cartella – un tascapane militare, come quello che abbiamo tutti, li compriamo in certi negozi dell'usato. Non fare lo stronzo e alzati da lì, dissi.

Dopo, camminando verso scuola, lui cercò di spiegarsi, e a me parve perfino di trovare il modo di farlo ragionare, e di sciogliere la sua paura. Tuttavia, a un certo punto, gli riuscì di dire quel che davvero lo divorava, nell'esattezza di parole semplici, recuperate in fondo alla sua vergogna: *non posso fare questo a mio padre*. Era convinto che quell'uomo ne sarebbe stato ferito a morte, e non era pronto per quell'orrore. Davvero, quella non era cosa a cui sapessi rispondere. Ci disarma, infatti, l'inclinazione a pensare che la nostra vita sia, innanzitutto, un frammento conclusivo della vita dei nostri genitori, solo affidato alla nostra cura. Come se ci avessero incaricato, in un momento di stanchezza, di tenere un attimo quell'epilogo per loro prezioso – ci si aspettava da noi che lo restituissimo, prima o poi, intatto. L'avrebbero poi ricollocato a posto, formando la rotondità di una vita compiuta, la loro. Ma ai nostri padri stanchi, che si erano fidati di noi, noi restituiamo il taglio di cocci affilati, oggetti scappati di mano. Nel sordo strisciare di un simile fallimento, non troviamo il tempo di riflettere, né la luce di una ribellione. Solo l'immobilità sorda della colpa. Così tornerà nostra, la nostra vita, quando sarà ormai troppo tardi.

Poiché alla fine Luca non volle entrare, lo lasciai solo a risolvere il vuoto di quelle ore mattutine. Io preferivo seguire con ordine il dettato delle cose. La scuola, i compiti, gli impegni. Era qualcosa che mi aiutava. Molto altro, non avevo. D'abitudine, in situazioni del genere, ricorro alla confessione, e in subordine alla penitenza. Tuttavia non mi veniva istintivo fare una cosa né l'altra, nella convinzione che non mi spettasse più il privilegio dei sacramenti, forse neppure la consolazione di un pio espiare. Così non avevo medicine – resisteva giusto, oltre al rispetto delle abitudini, l'istinto al pregare. Mi dava sollievo il farlo in ginocchio, per tempo lunghissimo, in chiese casuali, all'ora in cui c'è solo scalpiccio raro di vecchiette, lo sbattere di porte, ogni tanto. Stavo con Dio, senza chiedere niente.

Morto il padre di Andre, venne il giorno del funerale – Luca ed io decidemmo di andarci.

C'era anche Bobby, Il Santo no. Nella calca della chiesa affollata. Ma noi da una parte, Bobby da un'altra, anche vestiti diversi ormai – lui aveva iniziato a badarci, non è una cosa che noi facciamo. Molta gente l'avevamo già vista, ma di rado così seria, misurata. Occhiali scuri e cenni brevi. In piedi, durante la messa, senza sapere le parole. Conosciamo quel genere di recita, non ha un nesso vero con alcun sentimento religioso, c'entra con l'eleganza, con il bisogno di un rito. Ma non c'è resurrezione nei cuori, niente. Al segno della pace ho stretto la mano di Luca, e uno sguardo. Sapevamo solo noi quanto ne avevamo bisogno – pace.

Da lontano l'avevamo guardata bene, Andre, com'è ovvio, ma sotto la giacca non si leggeva niente, la magrezza decisa e null'altro. Non ne sapevamo abbastanza per capire se potevamo dedurne qualcosa.

Fuori dalla chiesa, un abbraccio a Bobby, e poi non avevamo dubbi che saremmo andati a salutare Andre, com'era educato fare. Senza ammetterlo, ci aspettavamo qualcosa, la chiarità di un segno che lei avrebbe saputo fare. C'era la gente in fila, sul sagrato, attendemmo che Andre si allontanasse un po' dalla madre e dal fratello, la guardavamo sorridere, era l'unica senza occhiali scuri, bellissima. Ci avvicinavamo lentamente, aspettando il nostro turno, senza staccarle gli occhi da dosso – adesso che era lì, di colpo mi ricordavo come mi era mancato il suo corpo in ogni istante dopo quella notte. Cercai negli occhi di Luca lo stesso pensiero, ma sembrava preoccupato e basta. Andre salutò una coppia di anziani signori, poi toccò a noi. Prima Luca – poi io le tesi la mano, lei me la strinse, Grazie di essere venuto, sorridendo, un bacio sulla guancia, nient'altro. Forse un attimo in più, a indugiare, ma non so. Era già a ringraziare qualcun altro.

Andre.

Non è nostro, dissi a Luca, la chiesa alle spalle, verso casa a piedi. Non è possibile che sia nostro.

Ce l'avrebbe fatto capire, pensavo. Anche pensavo che in quel bacio sulla guancia era tutto sparito, come l'acqua che si richiude, dimenticando il sasso posato sul fondo. Così ero elettrizzato, e mi avevano restituito la mia vita. Lo dissi a Luca in tutti i modi, lui stava a sentire. Ma camminava il capo chino. Mi venne un dubbio e gli chiesi se Andre gli aveva detto qualcosa. Lui non rispose, piegò solo un po' la testa da un lato. Non capivo cosa fosse successo, lo presi per il braccio, brusco, Cosa diavolo c'è? Gli si riempirono gli occhi di lacrime, come quell'altra volta, venendo via da casa mia. Si bloccò, tremava. Torniamo là, disse.

Da Andre?

Sì.

A fare?

Piangeva proprio, adesso. Ci mise un po' a ritrovare la calma per parlare.

Io non ce la faccio più, fammi tornare là, dobbiamo chiederglielo e basta, non possiamo andare avanti così, è stupido, io non ce la faccio più.

Poteva anche aver ragione – ma non là, con tutta quella gente, a un funerale. Mi vergognavo. Glielo dissi.

Sai che me ne importa, del loro funerale, disse.

Sembrava convinto.

Gli dissi che io no, non ci sarei andato. Se proprio vuoi andare, vacci da solo.

Fece di sì con la testa.

Ma fai una cazzata, dissi.

Me ne andai. Dopo un po' mi voltai a guardare, lui era là ancora fermo, si passava il dorso della mano sugli occhi.

Tornato a casa lasciai passare un po' di tempo poi cominciai a telefonargli dai suoi – dicevano sempre che non era ancora arrivato. Non mi piaceva, la cosa, finii per fare brutti pensieri. Mi passò per la testa di andarlo a cercare, mi cresceva quella certezza che non avrei dovuto lasciarlo lì, da solo, in mezzo alla strada. Poi mi immaginai che lo trovavo con Andre, da qualche parte, e l'imbarazzo dei gesti, delle parole da dire. Era tutto complicato. Non c'era verso di distrarsi, l'unica cosa che riuscivo a fare era continuare a telefonare a casa sua, sempre scusandomi molto. Alla sesta volta rispose lui.

Cristo, Luca, non farmi più scherzi del genere.

Che c'è?

Niente. Sei andato?

Stette un po' zitto. Poi disse No.

No?

Adesso non posso spiegarti, dai.

Okay, dissi. Meglio così. Andrà tutto a posto.

Lo credevo veramente. Mi venne ancora da dirgli un paio di cazzate, mi misi a parlare delle scarpe di Bobby, al funerale. Non ci potevi credere che se le fosse comprate *veramente*. E la camicia?, disse Luca. Non le sanno nemmeno *stirare*, a casa mia, camicie come quella, disse.

Ma la sera, a cena, si alzò a un tratto, per portare i piatti nel lavello, e invece di tornare a sedersi a quella mensola, il muro davanti, uscì sul balcone. Si appoggiò alla ringhiera, dove mille volte aveva visto suo padre – ma di schiena, gli occhi verso la cucina. Forse guardò ancora una volta, ogni cosa. Poi si lasciò cadere all'indietro, nel vuoto.

Nel Vangelo di Giovanni, e solo in quello, è raccontato l'ambiguo episodio della morte di Lazzaro. Mentre è lontano, a predicare, Gesù viene informato che un suo amico, a Betania, è caduto gravemente malato. Passano due giorni, e all'alba del terzo Gesù dice ai suoi discepoli di prepararsi a tornare in Giudea. Gli chiedono la ragione e lui risponde: Il nostro amico Lazzaro si è addormentato, andiamo a risvegliarlo. Così si mette in cammino e, arrivato alle porte di Betania, vede una sorella di Lazzaro, Marta, corrergli incontro. Quando arriva davanti a lui, la donna dice: Signore, se tu fossi stato qui, mio fratello non sarebbe morto. Entrato poi in città, Gesù incontra l'altra sorella di Lazzaro, Maria. E lei gli dice: Signore, se tu fossi stato qui, mio fratello non sarebbe morto.

Solo io sapevo il perché. Per gli altri la morte di Luca fu un mistero – la dubbia conseguenza di cause poco chiare. Naturalmente si conosceva, senza davvero pronunciarla, l'ombra lunga del male in quella famiglia – il padre. Ma anche di quello, poco si era disposti ad ammettere, come di cosa non essenziale. La gioventù, sembrava piuttosto la radice del male – una gioventù che non si riusciva più a capire.

Cercavano me, per sapere. Non sarebbero stati davvero ad ascoltarmi – volevano solo sapere se c'era qualcosa di nascosto, di non detto. Segreti. Non erano lontani dal vero, ma dovettero fare a meno del mio aiuto – per giorni non vidi nessuno. Una durezza che non conoscevo, e perfino uno sprezzo – reagii in quel modo. Ne erano preoccupati i miei genitori, turbati gli adulti intorno, i preti. Al funerale non andai, non c'era resurrezione nel mio cuore.

Si fece vivo Bobby. Scrisse una lettera Il Santo. Non aprii la lettera. Non volli vedere Bobby.

Cercavo di spegnere un'immagine, Luca con i capelli appiccicati alla fronte, nel letto di Andre, ma quella invece non mi abbandonava, né mi avrebbe abbandonato, così è quel che ricordo di lui, per sempre. Eravamo nello stesso amore, in quel momento – non abbiamo fatto altro, per anni. La sua bellezza, i suoi pianti, la mia forza, i suoi passi, il mio pregare – eravamo nello stesso amore. La sua musica, i miei libri, i miei ritardi, i suoi pomeriggi da solo – eravamo nello stesso amore. L'aria in faccia, il freddo nelle mani, le sue dimenticanze, le mie certezze, il corpo di Andre – eravamo nello stesso amore. Così siamo morti insieme – e fino a quando non morirò, insieme vivremo.

Soprattutto turbava i grandi quello stare lontani, e non cercarci – io, Bobby e Il Santo. Ci avrebbero voluti stretti ad ammortizzare il colpo – ci vedevano sgranati. In questo leggevano una ferita lunga, o più profonda di quanto volessero immaginare. Ma era come di uccelli dopo uno sparo, ognuno a volare largo, aspettando il tempo di ridiventare stormo – o anche solo macchie scure allineate sul filo. Ci sfiorammo appena un paio di volte. Sapevamo noi il tempo che doveva passare – il silenzio.

Invece un giorno venne quella ragazza, che era stata la mia fidanzata, e io andai con lei. Non ci vedevamo da un po', era tutto strano. Adesso guidava la macchina, una macchina piccola e vecchia che i suoi le avevano regalato quando aveva compiuto diciott'anni. Era fiera di quella cosa, e voleva che io vedessi. Si era vestita carina, ma non come di una che volesse ricominciare, o qualcosa del genere. I capelli legati, le scarpe basse, normali. Andai – era bello vedere i gesti del guidare fatti da lei, ancora precisi, come sotto dettatura, ma intanto qualcosa come una donna scivolava dentro la ragazza che sapevo. Forse fu quello. Ma anche il sapere che lei non c'entrava nulla, così che raccontarle sarebbe stato come disegnare su un foglio bianco. Dunque lo feci. Era la prima persona al mondo a cui raccontavo tutta la storia – Andre, Luca e me. Lei guidava, io parlavo. Non era sempre semplice trovare le parole, lei aspettava e io dicevo, alla fine. Teneva gli occhi al parabrezza, e quando serviva allo specchietto, mai su di me – le due mani sul volante, la schiena non proprio rilassata sullo schienale. A un certo punto si accesero i lampioni della città.

Mi guardò solo alla fine, quando si fermò sotto casa mia, parcheggiando di punta, un po' staccata dal marciapiede – una cosa che mio padre non sopporta. Tu sei matto, disse. Ma non c'entrava con quello che avevo fatto, c'entrava con quello che avrei dovuto fare. Vai da Andre, disse, adesso, subito, smettila di aver paura. Come fai a vivere senza sapere la verità?

In realtà noi sappiamo benissimo come vivere senza sapere la verità, sempre, ma bisogna ammettere che su quel punto aveva ragione lei, e glielo dissi, così fui costretto a raccontarle una cosa che avevo tenuto per me – mi faceva fatica raccontarla. Le dissi che in effetti ci avevo provato, ad andare da Andre, la verità è che a un certo punto avevo pensato anch'io di doverci andare, e ci avevo provato. Qualche giorno dopo la morte di Luca, ma più per risentimento che per sapere – per vendetta. Me ne ero uscito una sera che non ne potevo più, spinto da una sconosciuta cattiveria, ed ero andato verso il bar dove era ragionevole trovarla, a quell'ora, in mezzo alla sua gente. Avrei dovuto studiare la cosa molto meglio, ma in quel momento mi sembrava di morire se non la vedevo, se non le dicevo – così, dov'era io l'avrei raggiunta, e basta. L'avrei *combattuta*, mi venne in mente. Solo che quando arrivai al viale, dove dall'altra parte c'era il bar, con tutti fuori, il bicchiere in mano, io da lontano vidi i suoi amici, eleganti nella loro allegria un po' annoiata, e in mezzo a loro, ma in disparte, e tuttavia chiaramente in mezzo a loro, c'era Il Santo. Appoggiato a un muro, anche lui il bicchiere in mano. Taciturno, solo, ma passavano davanti a lui e con lui scambiavano battute, e sorrisi. Come di animali dello stesso branco. Una ragazza a un certo punto si fermò a parlargli, e intanto con una mano gli tirava indietro i capelli – lui la lasciava fare.

Neanche guardai se c'era Andre, da qualche parte. Mi girai e me ne andai veloce – ero solo terrorizzato che mi vedessero, non mi importava di null'altro. Quando arrivai a casa, ero uno che si era arreso.

Non so perché, ma ho visto Il Santo lì, e non mi importava più di nulla, le ho detto.

Lei ha fatto sì con la testa e poi ha detto Ci vado io, e ha messo in moto la macchina. Intendeva dire che ci sarebbe andata lei, da Andre, e non voleva neanche discuterne. Scesi senza dire un granché, e la vidi ripartire, con la freccia messa giusta, e tutto – educatamente.

Poiché non feci nulla per fermarla, lei tornò il giorno dopo, e aveva parlato con Andre.

Dice che era già incinta quando ha fatto l'amore con voi.

A bassa voce, di nuovo seduti uno di fianco all'altra, in quella macchinetta. Ma questa volta sotto gli alberi, dietro a casa mia.

Pensai che Luca era morto per niente.

Anche pensai al bambino, al ventre di Andre, al mio sesso dentro di lei, e a quelle cose. Di che misteriose prossimità siamo capaci, uomini e donne.

E infine mi ricordai che tutto era finito e non ero più un padre.

Per questo feci una cosa che non faccio mai – io non piango, non so perché.

Lei mi lasciò tranquillo senza fare un gesto, o dire una parola, faceva scattare la bacchetta degli abbaglianti, ma piano.

Alla fine le chiesi se Andre aveva detto qualcosa su Luca – se le era venuto almeno in mente che c'entrava lei in quel volo.

Si è messa a ridere, lei disse.

A ridere?

Se era quello, il problema, sarebbe venuto a dirmelo, ha detto.

Pensai che Andre non sapeva nulla di Luca, e che niente aveva imparato su di noi.

Invece Andre ha ragione, disse allora la mia fidanzata, Luca non può essersi ucciso per quello, solo tu puoi pensarlo.

Perché?

Perché sei cieco.

Sarebbe?

Scosse la testa – non aveva voglia di parlarne.

Io mi avvicinai e feci per baciarla. Mi appoggiò una mano sulla spalla, tenendomi lontano.

Solo un bacio, le dissi.

Vai, mi disse.

Decisi allora di ricominciare. Mi misi a pensare indietro alla ricerca di un ultimo momento saldo prima che tutto si ingarbugliasse – l'idea era quella di ripartire da lì. Avevo in mente il passo del contadino che ritorna ai campi, dopo la tempesta. Si trattava solo di trovare il punto dove avevo interrotto la semina, ai primi chicchi di grandine.

Ragionavo così perché nei momenti di confusione ricorriamo d'abitudine a un immaginario contadino – e questo benché nessuno, nelle nostre famiglie, abbia mai lavorato la terra, a memoria d'uomo. Veniamo da artigiani e mercanti, preti e funzionari, eppure abbiamo ereditato la sapienza dei campi, facendola nostra. Così crediamo nel rito fondativo della semina, e viviamo confidenti nella ciclicità del tutto, ben riassunta dal passare rotondo delle stagioni. Dall'aratro abbiamo imparato il senso ultimo di qualsiasi violenza, e dai contadini il trucco della pazienza. Ciecamente, crediamo nell'equazione tra fatica e raccolto. È una sorta di vocabolario simbolico – ci è dato in modo misterioso.

Così pensai di ricominciare, perché non conosciamo altro istinto, di fronte ai fortunali della sorte – il passo cocciuto e stolto del contadino.

Da qualche parte dovevo ricominciare a lavorare la terra, e alla fine decisi per le larve, giù all'ospedale. Era l'ultima cosa salda che ricordavo – noi quattro dalle larve. L'entrare e uscire da quell'ospedale. Non ci andavo da un sacco di tempo. Puoi star sicuro che lì ritroverai tutto come prima, non importa cosa ti è successo mentre non c'eri. Magari sono diversi i volti e i corpi – ma uguali la sofferenza e l'oblio. Le suore non fanno domande, e sempre ti accolgono come un regalo. Passano accanto, indaffarate, e allora si suona insieme un ritornello che ci è caro – Sia lodato Gesù Cristo, Sempre sia lodato.

All'inizio mi sembrò tutto un po' difficile – i gesti, le parole. Mi raccontavano di chi se n'era andato, stringevo la mano dei nuovi. Il lavoro era sempre quello, le sacche piene di urina. Uno dei vecchi mi vide, a un certo punto, si ricordava di me, si mise a berciare a voce alta, voleva sapere dove diavolo eravamo finiti, io e gli altri. Non vi siete più fatti vedere, mi disse quando gli andai vicino. Protestava.

Tirai una sedia accanto al letto e mi sedetti. Si mangia da schifo, disse lui, riassumendo. Mi chiese se avevo portato qualcosa. Ogni tanto facevamo passare qualcosa da mangiare – la prima uva, del cioccolato. Perfino sigarette, ma quelle Il Santo, noi non osavamo. Le suore sapevano.

Gli dissi che non avevo niente per lui. Sono giorni complicati, sono andate storte un po' di cose, dissi, per spiegare.

Mi guardò meravigliato. Da tempo, quelli lì hanno smesso di pensare che può andare storta anche agli altri.

Che cavolo dici?, disse.

Niente.

Ah, ecco.

Faceva il benzinaio, quando era giovane e gli andava tutto bene. Era stato anche presidente di una squadretta di calcio del suo quartiere, per un certo periodo. Si ricordava di un tre a due in rimonta, e di una coppa vinta ai rigori. Poi aveva litigato.

Mi chiese dov'era finito quello con i capelli rossi. Mi faceva ridere, quello, disse.

Parlava di Bobby.

Non è più venuto?, chiesi.

Quello? E chi l'ha più visto. Lui era l'unico che mi faceva ridere.

In effetti Bobby ci sa fare con loro, li prende per il culo tutto il tempo, è una cosa che li mette di buon umore. A sfilare via il catetere è un disastro, ma a nessuno sembra importare un granché. Se uno piscia sangue, gli piace che un ragazzino gli fissi l'uccello, ammirato, e gli dica Cristo, non è che le va di fare cambio?

Neanche ha salutato, disse il vecchio, se n'è andato via e poi vigliacco se qualcuno l'ha rivisto da queste parti. Dove l'avete nascosto? Ce l'aveva con questa storia di Bobby.

Non può venire, dissi.

Ah no?

No. Ha dei problemi.

Mi guardò come se fosse stata colpa mia.

Tipo?

Io ero seduto lì, su quella sedia di ferro, chino verso di lui, i gomiti puntati sulle ginocchia.

Si droga, dissi.

Che cavolo dici?

La droga. Sa cos'è?

Certo che lo so.

Bobby si droga, per questo non viene più.

Gli avessi detto che doveva immediatamente alzarsi e andarsene portando via da lì la sua roba, compresa la sacca piena di piscio, avrebbe fatto la stessa faccia.

Ma che cavolo dici?, ripeté.

La verità, dissi. Non può venire perché in questo momento è da qualche parte a sciogliere una polvere marrone in un cucchiaio scaldato dalla fiamma di un accendino. Poi risucchia il liquido in una siringa e si stringe un cordone emostatico all'avambraccio. Si infila l'ago nella vena e inietta il liquido.

Il vecchio mi guardava. Gli indicai la vena, nella piega del suo braccio.

Mentre butta via la siringa, la droga corre col sangue. Quando arriva al cervello Bobby sente il maledetto nodo sciogliersi, e altre cose che non so. L'effetto dura un po'. Se lo incontri in quei momenti parla come un ubriaco e capisce poco. Dice cose che non crede.

Il vecchio fece cenno di sì.

Dopo un po' l'effetto se ne va, lo fa lentamente. Allora Bobby pensa che deve smettere. Ma dopo un po' il corpo torna a chiedere quella roba, allora lui cerca i soldi per comprarne altra. Se non li trova inizia a star male. Così male come lei, in questo letto, neanche si immagina. Ecco perché non può venire qui. A stento riesce ad andare a scuola. Io lo vedo soltanto quando ha bisogno di soldi. Per cui non si aspetti di vederlo arrivare, se ne faccia una ragione, niente risate per un po'. Mi ha capito?

Fece cenno di sì con la testa. Aveva una di quelle facce strane, che sembrano mancare di qualcosa. Come quelli che si tagliano i baffi per scommessa.

La vogliamo svuotare 'sta sacca?, dissi, tirando giù le coperte. Mi chinai sul solito tubicino. Lui iniziò a borbottare.

Ma che razza di gente siete?, disse tra i denti.

Sfilai il tubicino piccolo da quello più grande, facendo attenzione.

Vi drogate, venite qui a fare i bravi ragazzi e poi vi drogate, cazzo.

Borbottava, ma pian piano gli veniva da alzare la voce.

Me lo vuoi dire chi diavolo credete di essere?

Io avevo sganciato la sacca dal bordo del letto. Il piscio era scuro, del sangue si era depositato sul fondo.

Dico a te, chi cavolo credete di essere?

Io me ne stavo in piedi, con quella sacca in mano.

Abbiamo diciott'anni, dissi, e siamo tutto.

Quando ero di là, a svuotare la sacca nel gabinetto lo sentivo gridare, Ma che cazzo vuol dire?, siete dei drogati, ecco quel che siete, venite qui a fare i bravi ragazzi ma siete dei drogati! Gridava che ce ne potevamo anche stare a casa, che non ce li volevano, i drogati, lì dentro. L'aveva preso come uno sgarbo personale.

Ma prima di finire e andarmene, anche passai da uno nuovo, piccolo piccolo, che sembrava fuggito dentro il suo corpo, in qualche posto in cui forse si sentiva al sicuro. Quando rimisi tutto a posto, la sacca vuota e sciacquata agganciata al bordo del letto, gli passai una mano sui capelli, che aveva radi e bianchi – ultimi. Lui si tirò un po' su, aprì il cassetto del suo comodino metallico, e da un portafogli lucido tirò fuori cinquecento lire. Tieni, sei un bravo ragazzo. Io non le volevo prendere, ma lui insisteva. Disse: Tienili, comprati qualcosa di bello. Neanche ci pensavo, di prenderli, ma poi mi venne in mente l'immagine di lui che faceva lo stesso gesto per un nipotino, un figlio, non so, un ragazzo, mi venne in mente che era un gesto che aveva fatto tante volte, per qualcuno a cui voleva bene. Chiunque fosse, non era lì. C'ero solo io, lì.

Grazie, dissi.

Poi, uscito, stavo cercando di capire se tornava quella sensazione di fermezza che sempre provavo, scendendo gli scalini dell'ospedale, ma non feci a tempo a capirci qualcosa, perché al fondo dei gradini vidi il padre di Luca, in piedi, elegante – aspettava proprio me.

Ti ho cercato a casa, disse, ma mi hanno spiegato che eri qui.

Mi tese la mano, gliela strinsi.

Mi chiese se avevo voglia di fare quattro passi con lui.

Io spingendo la bicicletta, lui la cartella del lavoro in mano. A camminare. Avevo da tempo quel rospo in gola, così quasi subito gli dissi che mi spiaceva di non essere andato al funerale di Luca. Fece un gesto nell'aria, come a scacciare qualcosa. Disse che avevo fatto bene, e che per lui andarci era stata una vera tortura – non sopportava infatti quando la gente "esibisce le proprie emozioni". Volevano che dicessi qualcosa, disse, ma mi sono rifiutato. Cosa c'è da dire?, aggiunse. Poi, dopo un po' di silenzio mi raccontò che invece Il Santo ci era andato, a dire qualcosa, era andato al microfono e con una pacatezza senza cedimenti aveva parlato di Luca, e di noi. Cosa avesse detto precisamente, il padre di Luca non se lo ricordava perché, mi disse, non voleva commuoversi lì, davanti a tutti, e quindi si era fissato su certi altri pensieri, cercando di non ascoltare. Ma si ricordava bene che Il Santo era magnifico, là al microfono, solenne e antico. Alla fine aveva detto che ogni morte se l'era portata via Luca, e adesso a noi sarebbe rimasto il dono puro del vivere, nella luce abbagliante della fede. Ogni morte e ogni paura, precisò il padre di Luca, mi pare di ricordare che disse proprio così, ogni morte e ogni paura se l'è portata via Luca. Quella frase l'aveva ascoltata, e se la ricordava bene.

Strano ragazzo, disse.

Io non dissi nulla, stavo pensando a quella volta a casa sua, la storia della preghiera a tavola.

Per un po' andammo avanti senza parole, o parlando di niente. C'era, naturalmente, da affrontare quell'argomento delle ragioni di Luca, e ci girammo un po' intorno. Alla fine lui ci arrivò per la strada maestra – mi chiese di Andre.

È una ragazza speciale, vero?, mi chiese.

Sì, lo è.

È venuta al funerale, è stata gentile, disse. All'uscita, aggiunse, c'era Bobby seduto su un gradino, che piangeva. Lei si è avvicinata, l'ha preso per mano, l'ha fatto alzare, e se l'è portato via. Mi ha colpito perché camminava dritta, e camminava anche per lui. Non so. Sembrava una regina.

Lo è?, mi chiese.

Io sorrisi. Sì, è una regina.

Mi disse che era un loro modo di dire, quando erano giovani. C'erano delle ragazze che erano regine.

Poi mi chiese cosa c'era tra lei e Luca.

Quel che sapeva lui era che Luca ne era innamorato. Non che ne parlasse, in casa, ma l'aveva capito da certe cose – e poi le chiacchiere degli altri, dopo. Sapeva anche che Andre aspettava un bambino. Ne aveva sentite tante, in quelle settimane, e una era che quel bambino c'entrava con Luca. Ma non avrebbe ben saputo dire in che senso. Si chiedeva se io potevo aiutarlo a capire.

Non si è ucciso per quello, dissi.

Non era esattamente ciò che pensavo, ma era ciò che doveva pensare lui. Al resto ci sarebbe dovuto arrivare da solo.

Lui aspettava. Insistette ancora per sapere se quel bambino poteva essere di Luca, quella storia lo tormentava.

No, dissi. Non è suo.

In realtà mi sarebbe piaciuto tenerlo un po' sulle spine, ma lo feci per Luca, glielo dovevo, non avrebbe fatto quello a suo padre, una volta per sempre.

Così dissi che no, non era suo.

Era la risposta per cui era venuto da me. Si sciolse qualcosa in lui, allora, e fu per tutto il resto del cammino un uomo diverso, che non avevo mai visto. Iniziò a raccontarmi di quando lui e sua moglie erano giovani. Ci teneva a farmi capire che erano stati felici. Nessuno voleva che si sposassero, nelle loro famiglie, ma loro l'avevano fortemente voluto, e anche quando per un attimo ci avevano rinunciato, lui non aveva mai smesso di sapere che ce l'avrebbero fatta, e così fu. Venivamo tutt'e due da famiglie orrende, disse, e l'unico tempo che non facesse schifo era quello che passavamo insieme. Disse che c'erano un sacco di moralismi, allora, ma era tale la loro voglia di scappare che da subito avevano iniziato a fare l'amore ogni volta che potevano, di nascosto da tutti. Mi salvava quanto era bella lei, di una bellezza pulita, la stessa di Luca, disse. Poi dovette accorgersi che quel genere di confessioni mi metteva a disagio – si interruppe. La vita sessuale dei nostri genitori è infatti una delle poche cose di cui non vogliamo sapere niente. Ci piace pensare che non esista, e non sia mai esistita. Non sapremmo sinceramente dove metterla, nell'idea che ci siamo fatti di loro. Così passò a raccontare dei primi tempi, da sposati, e di quanto avevano riso, in quegli anni. Non lo stavo più tanto a sentire. In genere sono storie sempre uguali, tutti i nostri genitori sono stati, da giovani, felici. Aspettavo piuttosto di sentire quando tutto quello si era inceppato, e dove era iniziata la miseria educata che invece conoscevamo. Avrei voluto magari sapere perché a un certo punto si erano *ammalati.* Ma non ne parlò. O forse, ma in un modo che non era chiaro. Tornai ad ascoltare bene quando con un tono perfino simpatico mi disse che sua moglie era così cambiata, dalla morte di Luca, era evidente che incolpava lui, della cosa, non gliel'aveva perdonata. Me la fa trovare lunga, disse. Alle volte torno a casa e neanche ha preparato la cena. Mi sto abituando ad aprire scatolette. Surgelati.

Il minestrone surgelato, quello non è male, disse. Dovresti provarlo. Faceva il simpatico.

A un certo punto si fermò, tirò su una gamba e ci appoggiò sopra la cartella, per aprirla. Ho pensato di portarti queste, disse. Tirò fuori dalla borsa dei fogli. Credo che siano canzoni, scritte da Luca, le abbiamo trovate tra la sua roba. Sono sicuro che lui avrebbe voluto lasciarle a te.

Erano proprio canzoni. O poesie, ma più probabilmente canzoni, perché c'erano degli accordi vicino, alle volte. Ma la melodia, quella Luca se l'era portata via per sempre.

Grazie, dissi.

Di che?

Arrivati sotto casa mia, restava da salutarci. Ma avevo l'impressione strana che non c'eravamo detti niente. Allora, prima di cercare un modo per salutarci, gli chiesi se potevo fargli una domanda.

Certo, disse. A quel punto era così sicuro di sé.

Una volta Luca mi ha detto che durante la cena, a casa vostra, lei ogni tanto si alza, e esce sul balcone. Mi ha detto che sta lì, appoggiato alla ringhiera, a guardare di sotto. È vero?

Lui mi guardò un po' stupito.

Può darsi, disse. Sì, è possibile.

Durante la cena, ripetei.

Continuava a guardarmi stupito. Sì, è possibile che sia successo. Perché?

Perché mi piacerebbe sapere se quando sta lì, a guardare di sotto, le passa mai per la mente di buttarsi. Di uccidersi in quel modo, dico.

Era incredibile, ma mi sorrise. Spalancando le braccia. Ci mise un po' a trovare le parole.

È solo che mi rilassa guardare le cose dall'alto, disse, lo facevo sempre da bambino. Stavamo al terzo piano, e io passavo ore alla finestra a vedere le macchine passare, e fermarsi al semaforo, e ripartire. Non so perché. È una cosa che mi piace. È una cosa da bambini.

Lo disse con una voce simpatica, e perfino gli vidi in faccia qualcosa che non avevo mai visto, qualcosa del bambino che era stato, un sacco di tempo fa.

Come ti è venuta in mente una cosa del genere?, mi chiese, ma con dolcezza – lui, con dolcezza.

Niente, dissi. Stavo pensando che se c'era una verità, in quella faccenda, neanche lui la conosceva più. Stavo pensando che non abbiamo nessuna possibilità di capire nulla, di niente, in nessun momento. Dei nostri genitori, dei nostri figli – forse di tutto.

Nel salutarci, mi prese tra le braccia, con la cartella dell'ufficio che mi batteva sulla schiena. Io me ne stavo rigido rigido, in quell'abbraccio. Così lui fece un passo indietro e mi porse la mano.

Copiavo il gesto, ma del contadino mi mancava la saggezza – l'occhio esperto che capisce il cielo, e misura il suo scontento.

Passato un tempo che non ricordo, apparve sui giornali la notizia che il corpo di un travestito era stato trovato all'alba, fuori città, sepolto in modo frettoloso, al greto di un fiume. L'uomo era stato ucciso con un colpo di pistola alla nuca. La morte veniva fatta risalire a quarantott'ore prima. Il travestito aveva un nome e un cognome, che comparivano nell'articolo. Ma anche si diceva che Sylvie era il suo nome. Da Sylvie Vartan.

La notizia mi colpì, perché noi lo conoscevamo.

È difficile ricordare quando – ma abbiamo preso a svolazzare intorno alle puttane, la notte, leggeri sulle nostre biciclette. All'inizio ci sorprendevano irresistibili sulla via di casa, di ritorno dall'oratorio, o da una riunione. Ma poi abbiamo incominciato a tirare tardi, aspettando l'ora che le vede apparire, agli angoli delle strade. O torniamo indietro, e ripassiamo fino a quando non compaiono, dal nulla – spenta la vita della città. Ci piace qualcosa che non sappiamo dire, fermo restando che mai ci passerebbe per la testa di pagarle – nessuno di noi ha il denaro per farlo. Quindi non ci spinge l'idea di andare con loro – quel che ci piace è pedalare fino a qualche metro e poi sollevarci sui pedali, e passargli davanti con l'abbrivio guadagnato, alti sulle nostre gambe e leggeri nel ronzio della ruota libera. Tutto facciamo senza alcuna prudenza, nella convinzione di essere invisibili – siamo in un mondo parallelo che nemmeno noi rileviamo. Accade alle volte che ripassiamo di giorno negli stessi angoli di strada, quasi non li riconosciamo. È un'altra città, la nostra notturna.

Gli passiamo davanti, dunque, e alla fine spesso neanche ci voltiamo a guardarle. Ma magari torniamo indietro, poi, e dall'altra parte della strada, più da lontano le guardiamo – gli stivali, le cosce, quei seni.

Loro ci lasciano fare. Siamo come farfalle notturne. Compariamo di tanto in tanto.

Ma un giorno Bobby si è fermato proprio davanti, appoggiando un piede a terra. Mi dai un bacio?, ha chiesto con quella sua aria strafottente. Lei si è messa a ridere. Aveva l'età delle nostre madri, e un altro modo di stare. Da lì, abbiamo iniziato a farci più audaci. Non io e Luca, che seguiamo. Ma Bobby. E Il Santo, in quel suo modo particolare – e come se da lungo tempo l'avesse in serbo. Si sta lì a parlare, ma veloci, per non tenere lontano i clienti. Ci siamo inventati di portare una birra, alle volte, a quelle che ci stanno simpatiche. O dei dolci. A due in particolare, che battono allo stesso angolo, su un viale di poca luce. Ci hanno preso in simpatia. La loro è la prima casa dove siamo andati a finire. Ma in altre, poi. È che magari si stufano, in notti vuote di lavoro, e ci dicono di salire con loro. Nelle loro piccole case senza nomi ai campanelli. Ci sono spesso lampade incredibili – la radio sempre accesa, anche prima di entrare, mentre mettono la chiave nella toppa. Si sale a piedi perché nell'ascensore i condomini non gradiscono – sulle scale e poi sul pianerottolo c'è un tempo lungo che è il solo in cui ci prende la paura di essere scoperti. Forse per questo, loro spesso cercano a lungo le chiavi nelle borsette, giocando. Le scale le salgono togliendosi prima i tacchi o lo stivale, per non fare rumore.

Dunque abbiamo iniziato come farfalle, e poi è diventato qualcosa. Fa parte di ciascuno di noi, e abbiamo paura di pensare quanto in profondo – mentre sotto gli occhi di tutti torniamo a edificare il Regno, in disciplina e purezza. Quale squarcio sappiamo, tra il nostro vivere e le nostre puttane, segreto. Non ne sa nulla nessuno e non ne riferiamo neanche in confessione. Non avremmo parole per pronunciarlo. Può darsi che ne deriviamo di giorno un riverbero di vergogna e di disgusto, leggibile in una certa tristezza che ci portiamo dentro – come di vasi imperfetti consapevoli di una incrinatura nascosta. Ma non ne siamo nemmeno sicuri, tanto solida sembra la divisione tra la nostra vita e quelle avventure notturne, che nessuno di noi crede di vivere *realmente*. Salvo forse Il Santo, che infatti resta in quelle case quando noi ce ne andiamo – non vogliamo rientrare a ore della notte che non sapremmo spiegare. Una cautela che lui ha smesso di avere, fino a restare fuori per nottate intere. Giorni, alle volte. Ma è per lui una cosa diversa, il respiro di una sua vocazione, che noi non abbiamo, ci fermiamo al gioco. Dove per lui è la traccia del cammino che va, incontro ai demoni.

Sylvie l'abbiamo conosciuta in quel modo. Non ci va l'idea dei travestiti, una forzatura che non capiamo, ma abbiamo scoperto presto che c'è in loro una gioia particolare, e una disperazione, che rende tutto più semplice – ne risulta un'illogica prossimità. Abbiamo in comune questa infantile attesa di una terra promessa, e condividiamo la volontà di cercarla senza il minimo pudore. Così nei loro corpi scrivono che sono tutto – la stessa cosa che si legge nelle nostre anime. Inoltre esibiscono una forza curiosa, appoggiata sul niente, e per questo simile alla nostra. La materializzano in una bellezza strafottente, e in forma di luce, che percepisci chiaramente quando in bicicletta arrivi al loro angolo di strada nella notte in cui non ci sono, così le macchine passano larghe, senza storia, e il semaforo elenca un tempo senza passione – le vetrine dei negozi cieche, a riflettere il buio. Sylvie lo sapeva, e questa era la sua vita, che ci spiegava, tolti i tacchi e messo su il caffè. Di giorno non esisteva. Non ho mai accarezzato il sesso di un uomo, ma il suo sì, mentre lei mi diceva come, e Bobby rideva. Senza sapere quanto stringere, finché lei disse che proprio non ci sapevo fare, alzandosi dal sofà e tirandosi su le mutandine di pizzo, poi ancheggiando verso la cucina. Aveva clienti importanti, e coi soldi avrebbe portato su il fratello, dal Sud – era il primo dei suoi sogni. Poi tanti altri, che raccontava ogni volta diversi – terre promesse. Dai vieni qui, diceva. La voce roca.

Trovarono un'auto, qualche chilometro a monte, dove il fiume si faceva più largo. Sporca del sangue. Qualcuno aveva cercato di farla scivolare nell'acqua, poi aveva lasciato lì. Risalirono al proprietario, disse che gliel'avevano rubata. Era un ragazzo di buona famiglia, uno che spesso avevamo visto uscire con il giro di Andre. Ripeté che gliel'avevano rubata, poi si spezzò e prese a ricordarsi la verità, a poco a poco. Raccontò che erano in tre, lui e due suoi amici, e avevano caricato Sylvie per portarla a una festa. Lui guidava, si era fermato davanti a lei, al solito angolo, e le aveva chiesto se voleva andare a divertirsi un po' con loro. Lei si era fidata, li conosceva. Così era salita, sistemandosi sul sedile davanti, e se n'erano andati tutti insieme. Non erano drogati, e nemmeno ubriachi. Ridevano ed erano contenti. I due amici seduti dietro a un certo punto avevano tirato fuori una pistola, e questo aveva eccitato un po' tutti. L'avevano fatta girare, l'aveva presa in mano anche Sylvie – la teneva con due dita e faceva finta che le facesse schifo. Alla fine l'avevano ripresa quei due dietro, e giocavano a sparare alla gente, dal finestrino. Lessi i loro nomi sul giornale, senza emozione, e quello del Santo era il primo dei due. L'unica cosa che pensai, assurdamente, fu com'era scritto piccolo, tra tutte quelle parole, una delle tante, ed era il suo nome. Già a scuola, dove lo chiamavano col suo nome vero, e il cognome, a me ogni volta sembrava di vederlo spogliato nudo, perfino umiliato, perché invece lui era Il Santo, come noi sapevamo bene. Lì sul giornale, poi, era nudo, e in fila a nomi qualsiasi – già prigioniero. Il ragazzo seduto accanto a lui, in macchina, era un altro amico di Andre, uno più grande. Interrogato, aveva ammesso di essere stato lì, nella macchina, quella sera, ma aveva giurato di non essere stato lui a sparare. Poi li aveva aiutati a seppellire il cadavere e spingere la macchina nell'acqua. Chiunque l'avrebbe fatto, disse, per aiutare degli amici. Quanto al Santo, il giornale riferiva che non aveva pronunciato una sola parola, da quando era stato prelevato a casa sua – così io capii che era ancora vivo, ed era ancora lui. Sapevo che disponeva di un modello comportamentale preciso e lo stava applicando lucidamente. Dal Getsemani al Calvario, il Maestro ne aveva fissato le regole immutabili – ogni agnello può disporne nell'ora del sacrificio. È un protocollo del martirio che, con un termine a ben pensarci sublime, noi chiamiamo *Passione* – una parola che per tutto il resto del mondo significa desiderio. In base ad accurate perizie balistiche, la polizia si fece un'idea abbastanza precisa della dinamica dei fatti. Chi aveva sparato, aveva prima appoggiato la canna sulla nuca di Sylvie, poi aveva premuto il grilletto. Non sembrava un colpo esploso per caso. Si accertò che la pistola era quella del Santo. Nessun movente, scrivevano i giornali – la noia.

Ritagliai l'articolo, avevo in mente di conservarlo. Tutto era compiuto, pensai – nella sconfinata vergogna del migliore di noi. Il viaggio lungo che la nostra immobilità nascondeva, lo vedevo adesso sotto gli occhi di tutti, segreto diventato notizia, e mutato in scandalo. Come la morte di Luca, o la droga di Bobby, così la galera del Santo se la sarebbero passata di mano in mano, oggetto incomprensibile – una piaga scagliata dall'alto, senza logica, senza ragione. Eppure io la sapevo respiro, germoglio atteso di una fioritura perenne. Non avrei saputo spiegarlo – era inscritto nella mia freddezza, che nessuno avrebbe capito. E in ogni fare, che nessuno avrebbe decifrato.

Squillò il telefono tutto il giorno, quel giorno – la sera squillò ed era Andre. Non mi aveva mai chiamato prima. Era l'ultima cosa che mi potessi aspettare. Si scusò, disse che avrebbe preferito incontrarmi, ma non la lasciavano uscire, era in clinica, stava per avere il bambino. La bambina, si corresse. Voleva chiedermi se ne sapevo qualcosa, di quella storia che c'era sui giornali. Ero sicuro che lei ne sapesse più di me, era una telefonata strana. Le dissi che ne sapevo poco. E che era una cosa orribile. Ma lei continuò a chiedermi – non sembrava interessarle molto dei suoi due amici, era del Santo che mi chiedeva. Con frasi spezzettate, che si perdevano. Mi disse che non poteva essere stato lui. Ma non riusciranno a farglielo dire, dissi. Rimase in silenzio. È solo una stupidata, disse, non sarà così scemo da rovinarsi la vita per una stupidata. Rideva, ma poco convinta. Pensai che solo i ricchi possono chiamare stupidata un proiettile sparato deliberatamente nel cranio di un essere umano. Solo tu puoi chiamarla stupidata, dissi. Rimase a lungo in silenzio. Forse, disse. Provai a salutarla, ma lei rimaneva lì. E alla fine disse perfavore. Vai a parlargli, perfavore. Digli che mi hai sentito. Digli così. Che mi hai sentito. Perfavore. Non sembrava Andre. La voce era la sua, anche i toni, ma non le parole. Lo farò, promisi. Aggiunsi qualcosa sulla bambina, che tutto sarebbe andato bene. Sì, lei disse. Ci salutammo. Un bacio, mi disse. Staccai.

Poi rimasi a pensare. Stavo cercando di capire cosa mi aveva detto *veramente*. Sentivo che non mi aveva cercato per fare delle domande, non era da lei, e nemmeno per chiedere un favore, non sapeva farlo. Mi aveva telefonato per dire qualcosa solo a me, che solo a me poteva dire. L'aveva fatto come nella vita si muoveva, quell'eleganza, di appoggi innaturali e gesti abbozzati. L'aveva fatto con bellezza. Mi ripetei le frasi – mi ricordavo un'urgenza nascosta, nel tono, e la pazienza dei silenzi. Era come un disegno. Quando lo decifrai, capii con assoluta certezza che

Il Santo era il padre della sua bambina – una cosa che sapevo da sempre, ma in questo modo nostro di non sapere mai.

Non mi riuscì di farlo prima – dopo alcune settimane andai dal Santo.

Nel risalire i corridoi che mi portavano alla sala dei colloqui, prima volta in una prigione, di ogni cosa non avevo curiosità, i soffitti alti, le sbarre – solo mi importava di parlare con lui. Pensavo la fine di tutta la geografia che ci eravamo immaginati, il decadere delle distanze, il dissolversi di qualsiasi confine – noi e loro. E se avremmo saputo orientarci in questo diverso infinito, dagli avamposti della sventura in cui ci aveva gettati la tempesta. Col pensiero di chiedere a lui, e la certezza che lui sapeva. Il resto mi infastidiva e basta, le procedure, la gente. Le divise, i volti cattivi.

Sei venuto, mi disse.

A parte la strana tenuta, era lui. Una tuta sportiva, di quelle che non metteva mai. I capelli corti, ma ancora la barba da monaco. Un po' ingrassato, all'apparenza, assurdamente.

Avevo da chiedergli cos'era successo – non in quella macchina o con Andre, non aveva importanza. Cos'era successo *a noi*. Lo sapevo, ma non con le sue parole, con la sua certezza. Volevo che mi ricordasse perché, quell'orrore.

Non è un orrore, disse.

Mi chiese se avevo ricevuto la sua lettera. Quella lettera che mi aveva mandato dopo la morte di Luca. Non l'avevo neanche aperta, ma poi l'avevo aperta. Mi aveva fatto incazzare. Non era nemmeno una lettera. C'era giusto la foto di un quadro.

Mi hai spedito una Madonna, Il Santo, che me ne faccio di una Madonna?

Lui borbottò qualcosa, innervosito. Poi disse che in effetti avrebbe dovuto spiegarmi bene, ma non ne aveva avuto il tempo, in quei giorni erano accadute troppe cose. Mi chiese se comunque l'avevo tenuta, o cosa.

Che ne so.

Fammi un favore, cercala, disse. Se non la trovi te la rimando.

Gli promisi che l'avrei cercata. Sembrò sollevato. Non pensava di riuscire veramente a spiegarsi, senza quella Madonna.

L'ho scoperta da Andre, disse, in un libro. Ma non ho neanche provato a spiegarle, aggiunse, sai com'è fatta.

Io non dissi niente.

L'hai sentita?, mi chiese.

Sì.

Cosa dice?

Non ci crede che sei stato tu. Nessuno ci crede.

Fece un vago gesto nell'aria.

Aggiunsi che Andre era in clinica, quando l'avevo sentita, ed era spiaciuta perché avrebbe voluto andarlo a trovare, ma non poteva.

Fece cenno di sì, con la testa.

Vuoi che le dica qualcosa?, chiesi.

No, disse Il Santo. Lascia stare.

Ci pensò un po'.

Anzi, dille che io – ma poi non disse niente.

Che va bene così, aggiunse.

Non potrei giurarlo, ma gli si era rotta un po' la voce, insieme a un gesto nervoso, la mano d'improvviso sollevata.

Della bambina – neanche una parola.

C'era una durata fissa, in quei colloqui, e una guardia era incaricata di farla rispettare. Strano mestiere.

Così ci mettemmo a parlare veloci – come inseguiti. Gli dissi che non sapevo da dove ricominciare – e che ogni cosa strappata da loro adesso io l'avrei ricucita, ma con che filo. Mi chiedevo cos'era sopravvissuto a quella improvvisa accelerazione della nostra lentezza, e lui capì che non riuscivo a scegliere i gesti, non ricordando più quali erano i nostri, e quali i loro. In fretta gli dissi delle larve, ma anche del silenzio delle chiese, e le pagine dei Vangeli sfogliate, cercando quella per me. Gli chiesi se non gli veniva mai il dubbio che avessimo osato troppo, senza avere l'umiltà di aspettare – e se c'era un passo, per edificare il Regno, che noi non avevamo capito. Gli cercai addosso una nostalgia – quella che avevo io.

Poi dissi tutto in una frase.

Mi piaceva prima – prima di Andre.

Il Santo sorrise.

Mi spiegò allora con la sua voce più bella – è un vecchio, in quella voce.

Mi disse i nomi, e le geometrie.

Ogni orma, e tutto il cammino.

Finché la guardia fece qualche passo avanti e comunicò che era finita – ma senza cattiveria. Neutrale.

Mi alzai, rimisi a posto la sedia.

Ci salutammo, un gesto e qualcosa sussurrato piano.

Poi di schiena, senza voltarci.

Mi rimase in mente la sua certezza – *non è un orrore.*

Cos'è, allora – pensavo.

Per farla entrare nella busta, Il Santo ha piegato la Madonna in quattro, ma con ordine, i bordi allineati. È la pagina di un libro, quei libri grandi d'arte, patinati. Da una parte c'è solo testo, dall'altra la Madonna – col Bambino. È importante dire che un solo sguardo la può abbracciare interamente – una lettera dell'alfabeto. Benché siano molte le cose distinte che figurano nel quadro, bocca, mani, occhi – e due cose più distinte di altre, la madre e il bambino. Ma sciolte in un'immagine che è chiaramente una, e sola. Nel nero, intorno.

È una vergine – questo occorre ricordarlo.

La verginità della madre di Gesù è un dogma, stabilito dal Concilio di Costantinopoli del 553, quindi è materia di fede. In particolare, la Chiesa cattolica, quindi noi, crede che la verginità di Maria sia da considerare perpetua – cioè effettiva prima, durante e dopo il parto. Dunque questo quadro ritrae una madre vergine e il suo bambino.

Va detto che lo fa come se infinite madri vergini di infiniti bambini fossero state richiamate lì, dalla distanza in cui dimoravano, a convenire in un'unica possibilità, dimentiche delle trascurabili differenze e singolarità – richiamate a un unico stare, di riassuntiva intensità. Ogni madre vergine e ogni bambino, quindi – questo anche è importante. In un gesto dolce della Madonna, ad esempio, è raccolta la memoria intera di *ogni* dolcezza madre – reclina la testa da un lato, la sua tempia tocca quella del Bambino, passa la vita, pulsa il sangue – nel tepore.

Il Bambino ha gli occhi chiusi e la bocca spalancata – agonia, profezia di morte, o solo fame. La madre vergine gli regge il mento con due dita – una cornice. Bianche le fasce del bambino, porpora la veste della madre vergine – nero il velo, sceso su tutt'e due.

Totale è l'immobilità. Non c'è peso che debba cadere, o piega fermata in qualche sciogliersi, o gesto da portare a termine. Non c'è arresto del tempo, non è il taglio tra un prima e un dopo – è *sempre*.

Sul volto della madre vergine, una mano non vista ha scostato ogni espressione possibile, lasciando un segno che significa solo se stesso.

Un'icona.

Se la si fissa a lungo, gradatamente lo sguardo vi si inabissa, seguendo una traccia che sembra obbligata – quasi un'ipnosi. Così si disfa ogni particolare, e alla fine la pupilla non ha più movimento, nel vedere, ma resta fissa in unico punto, dove vede tutto – il quadro intero, e ogni mondo convocato lì.

Quel punto è dove sono gli occhi. Sul volto della Madonna, gli occhi. Era norma di bellezza che non esprimessero niente. Vuoti – non guardano infatti, ma sono fatti per ricevere lo sguardo. Sono il cuore cieco del mondo.

Quanta maestria dev'essere occorsa per ottenere tutto ciò. Quanti errori prima di ottenere quella perfezione. Per generazioni si sono passati il lavoro, senza mai perdere la fiducia di saperlo fare, prima o poi. Quale urgenza li spingeva, perché tanta cura? A quale promessa tenevano fede? Cosa andava salvo, per i figli dei figli, nel lavoro delle loro mani?

L'ambizione che abbiamo imparato – ecco cosa. Un messaggio segreto, nascosto sul retro del culto e della dottrina. La memoria di una *madre vergine*. Divinità impossibile in cui riposava, placato, tutto ciò che nell'esperienza umana conoscevano come strazio e squarcio. In lei adoravano l'idea che in un'unica bellezza potesse ricomporsi ogni contrario, e tutti gli opposti. Sapevano che nel sacro questo si impara, la nascosta unità degli estremi, e la capacità che abbiamo di rievocarla in unico gesto, compiuto – sia esso un quadro o una vita intera. Vergine e madre – arrivarono a immaginarla come riposo, e perfezione. Non si placarono fino a quando non la videro, generata dalla loro maestria.

Così la promessa è stata mantenuta, e i figli dei figli hanno ricevuto in eredità coraggio e follia. Più di ogni inclinazione morale, e nel rovescio di tutte le dottrine, ciò che abbiamo ricevuto dalla nostra formazione religiosa è stato innanzitutto un modello formale – un modello ossessivamente ripetuto nella violenza delle immagini che ci raccontavano la buona novella. La stessa unità folle della Vergine madre dimora nell'estasi dei martiri, e in ogni apocalisse che è inizio dei tempi, e nel mistero dei demoni, che erano angeli. Nel modo più alto, e carogna, dimora nella nostra icona ultima e definitiva, quella del Cristo inchiodato sulla croce – ricomposizione di vertiginosi estremi, padre figlio spirito santo, in un unico cadavere, che è Dio e non lo è. Dell'aporia per eccellenza abbiamo fatto un feticcio – siamo gli unici che adorano un dio morto. E allora come potevamo non imparare, innanzitutto, questa capacità di impossibile – e l'ambizione a colmare qualsiasi distanza? Così, mentre ci insegnavano la retta via, noi già eravamo ragnatele di sentieri, e ovunque era la nostra meta.

Ci hanno taciuto che era così difficile. Quindi tracciamo madonne imperfette, sorpresi di non trovare al termine quegli occhi vuoti – ma invece dolore e rimorso. Per questo ci feriamo, e moriamo. Ma è solo una questione di pazienza. Di esercizio.

Dice Il Santo che è come le dita di una mano. Si tratta solo di chiuderle lentamente, nella forza di una stretta mite – dovessimo metterci una vita intera. Dice che non dobbiamo spaventarci, e che se siamo tutto, questa è la nostra bellezza, non la nostra malattia. È il rovescio dell'orrore.

Dice anche che non c'è mai stato un prima di Andre, perché da sempre eravamo così. Pertanto non ci spetta alcuna nostalgia, né disponiamo di una via per tornare indietro.

Dice che non è successo niente. Non è mai successo niente.

Allora son tornato ai gesti che conoscevo, ritrovandoli uno ad uno. Da ultimo sono voluto andare in chiesa, la domenica, a suonare. C'erano altri ragazzi, ormai, una nuova band – il prete non poteva rimanere senza, così ci aveva rimpiazzati. Erano giovani, e non avevano storia, se così posso dire – ce n'era forse uno, alle tastiere, che valeva qualcosa. Gli altri erano ragazzi. Comunque ho chiesto se potevo aggiungermi, con la mia chitarra, e loro erano onorati. Va detto che quando avevano tredici anni venivano alla messa a sentire noi – così si può capire la situazione. Ce n'era addirittura uno che nei capelli e nella barba cercava di sembrare Il Santo. Era il batterista. Alla fine mi misi lì, un po' defilato, con la mia chitarra, e feci quello che dovevo fare. Volevano che cantassi, ma gli feci capire che no, non avrei cantato. Stare lì e suonare – non mi importava di altro.

Ma non avevo suonato due accordi del canto d'ingresso che già sentii arrivare tutto – come era ridicolo il mio essere lì, e lontano qualsiasi senso di ritorno a casa. Ero così vecchio, lì in mezzo – di anni, sicuro, ma soprattutto di innocenza smarrita. Avevo un bel nascondermi dietro agli altri, c'ero solo io. I genitori, dai banchi, e i fratelli piccoli, mi cercavano con gli occhi, volevano vedere il sopravvissuto – e in me l'ombra nera dei miei amici perduti. Non mi dava fastidio, me l'ero cercata, forse volevo proprio quello, non volevo più niente di nascosto. Mi sembrava che portare tutto in superficie era la prima cosa da fare. Per cui mi lasciavo guardare – la prendevo per un'umiliazione, sinceramente non c'era narcisismo o qualche forma di protagonismo, la vivevo come un'umiliazione, ed essere umiliato così, senza violenza, era ciò che volevo.

A un certo punto il prete riuscì a infilare lì la frase che io ero tornato e la comunità tutta mi salutava, col cuore pieno di gioia. Molti, tra i banchi fecero cenno di sì con la testa, e si sprecavano i sorrisi, un brusio lieto – tutti gli occhi su di me. Io non feci nulla. Avevo solo paura che scattasse un applauso. Ma va detto che quella è gente educata, conosce ancora la misura di ciò che è appropriato – un'arte che va smarrendosi.

Subito dopo fissavo i capelli del prete, durante la predica, e per la prima volta mi accorsi di come erano fatti. Avrei dovuto notarlo da anni, ma in realtà solo quel giorno li vidi davvero. Da un lato, tenuti lunghi, erano riportati poi fino all'altra parte della testa, coprendo la calvizie. Così la riga, nel punto in cui partivano, era ridicola e bassa, quasi subito sopra l'orecchio. Erano biondi, e pettinati con la necessaria cura. Magari con prodotti fissanti. Sotto di loro, il prete stava parlando del mistero dell'Immacolata concezione.

Nessuno lo sa, ma l'Immacolata concezione non c'entra niente con la verginità di Maria. Vuol dire che Maria è stata concepita priva del peccato originale. Il sesso non c'entra niente.

E mi chiedevo che importanza potesse avere che capelli hai, se vivi nella prospettiva della vita eterna, e dell'edificazione del Regno. Com'era possibile perdere tempo per cose del genere – avrà usato una qualche forma di lacca, sarà uscito un giorno a *comprarsela*.

Perché non avevo imparato neppure la clemenza, o il talento di comprendere, dalle nostre avventure. La pietà per ciò che siamo, tutti.

Approfittai della predica – quel prete li ipnotizzava, mi misi a guardare le facce, tra i banchi, adesso che non fissavano più me. Tanta gente che non vedevo da tempo. Poi, in uno degli ultimi banchi, prima pensavo di essermi sbagliato, ma poi era proprio lei, Andre, seduta nel posto ultimo che dava sul corridoio – stava ad ascoltare, ma girando gli occhi intorno, curiosa.

Magari non era nemmeno la prima volta, che veniva.

Io la odiavo, ormai, perché continuavo a pensare fosse all'origine di molti dei nostri mali, ma indubbiamente in quel momento solo sentii che in mezzo a tanti stranieri c'era uno della mia terra, tanto si erano spostati i confini del mio sentire. Per quanto fosse assurdo, mi sembrò che su quella zattera strana, c'era allora anche uno dei miei – e l'istinto a stare vicini.

Ma fu un attimo.

Così, finita la messa, le lasciai il tempo di andarsene. Salutai i ragazzi e poi andai al primo banco, mi misi in ginocchio, e stetti a pregare, il volto tra le mani, i gomiti appoggiati al legno. Era una cosa che facevo spesso, prima. Mi piaceva sentire i rumori della gente che scolava via, senza vederli. E ritrovare un punto, dentro me stesso.

Mi alzai, alla fine, erano rimasti i gesti vellutati dei chierichetti che risistemavano l'altare.

Mi girai e Andre era ancora là, al suo posto, seduta – la chiesa quasi vuota. Capii allora che quella storia non era ancora finita.

Feci il segno della croce e iniziai a scendere il corridoio tra i banchi, le spalle all'altare.

Arrivato all'altezza di Andre, mi fermai e le feci un saluto. Lei si spostò un po', nel banco, lasciandomi lo spazio. Mi sedetti accanto a lei.

Tuttavia sono stato educato a un'ostinata resistenza, che considera la vita un obbligo nobile, da assolvere in dignità e pienezza. Mi hanno dato forza e carattere, per questo, e l'eredità di ogni loro tristezza, perché ne facessi tesoro. Quindi mi è chiaro che non morirò mai – se non in gesti passeggeri e in momenti dimenticabili. Né dubito che più tagliente di qualsiasi paura si svelerà il mio andare.

E così sarà.